D0512721
Alffi
Mared Lewis
y Lolfa
2/13
FICTION
Siop
3.95

Diolch i Ifan, Osian, Rhodri, Rhys, Elain ac Annest,
Blwyddyn 9 Ysgol Uwchradd Bodedern,
ac i Elis ac Iddon

Argraffiad cyntaf: 2012

Golygyddion Pen Dafad: Alun Jones a Meinir Wyn Edwards

Comisiynwyd y gyfrol gyda chymorth ariannol AdAS

Cynllun y clawr: Dorry Spikes

Rhif Llyfr Rhyngwladol: 978 1 84771 457 2

Cyhoeddwyd, rhwymwyd ac argraffwyd yng Nghymru gan
Y Lolfa Cyf., Talybont, Ceredigion SY24 5HE
gwefan www.ylolfa.com
e-bost ylolfa@ylolfa.com
ffôn 01970 832 304
ffacs 832 782

1
BORA OD

"Alffiiiiiiiiiiii!"

Haia. Dyna sut mae fy niwrnod i, Alffi Jones, yn dechra fel arfer, efo Nain Bach yn gweiddi ar dop ei llais fel tasa'n tŷ ni a'r tŷ drws nesa ar dân. Am ddynes sydd ddim llawer talach na fi, a finna ddim ond ym Mlwyddyn 9, mae gan Nain Bach goblyn o lais. Ac mae ganddi goblyn o dempar i fynd efo'r llais.

Dyna pam dwi fel arfer yn neidio allan o 'ngwely y munud dwi'n clywed ei llais am yr ail waith achos dwi'n gwbod be sy'n dda i mi.

Ond bora 'ma, roedd hi'n andros o gynnes o dan y dwfe, a'r freuddwyd am Medi Clarke yn dechra mynd yn ddiddorol wrth iddi droi ei phen tuag ata i, rhoi ei dwylo ar fy ysgwydda a...

"Alffiiiiiiii!"

Ar ôl mynd i'r tŷ bach, cefais gipolwg arna i fy hun yn nrych y stafell molchi.

"Alffi Jones!" medda fi, fel fydda i'n arfer neud. "Ti'n edrach yn fflipin…"

Ond doedd y gair 'amêsing' ddim yn swnio'n iawn heddiw, achos dros nos roedd yr hen bloryn oedd yn trio gwasgu ei ffordd yn goch o dan y croen neithiwr wedi cyrraedd i'r top ac yn felyn afiach erbyn bora 'ma. O, na! Grêt! Os fydda Medi Clarke yn edrych o gwbwl arna i heddiw, y ploryn hyll yma fydda'r peth cynta, a'r ola fydda'n mynd â'i sylw. Ond o leia roedd hi'n ddydd Gwener. Efo lwc, mi fydda'r ploryn ddiawl 'di chwythu ei blwc erbyn bora Llun!

Rhedais y tap gan roi'r dŵr dros fy wyneb. Mi fydda'n rhaid i hynna neud y tro ne mi fydda Nain Bach yn cael hartan yn gweiddi fel'na.

Rhoddais dipyn bach o ddŵr wedyn dros fy ngwallt a dyna ni. O dôn llais Nain Bach heddiw, fydda 'na ddim amser am gawod gan fy mod yn amlwg yn hwyr. Mi fydda rhaid i dipyn o jèl ar ôl brecwast neud y tro i neud yn siŵr nad oedd pigau gwallt enwog Alffi Jones ddim yn siomi'r byd!

Wrth i mi ddwad i lawr y grisiau, roedd y gegin yn rhyfeddol o ddistaw. Fel arfer, dwi'n clywed Gafin Gorila a Dad yn cwffio dros pwy sy'n cael y llefrith gynta, a Nain Bach fel reffarî yn y canol rhyngddyn nhw. Rhag ofn i chdi feddwl 'mod i wedi cael fy magu mewn sw, fy 'annwyl' frawd mawr ydy Gafin Gorila, ond dwi'n siŵr fod gan gorila fwy o sens na fo'r rhan fwya o'r amsar, ac yn ddelach. Faswn i'm yn deud hynny wrtho fo, cofia, dim ond taswn i hanner ffordd allan drwy'r drws. Does arna i mo'i ofn o, ond mae o'n gyflymach ac yn gryfach na fi. Am rŵan, 'de. Ond rhaid iddo fo watsiad ei hun unwaith fydd y *dumb-bells* yn dechra gweithio ar y mysls sgin i.

Ond bora 'ma doedd dim golwg o Gafin, ac roedd bag gwaith Dad wedi mynd o'r drws lle mae o'n arfer ei gadw.

"Lle ma Dad?"

Roedd cefn Nain Bach yn wynebu'r ffenest a'r ardd gefn, ac mi drodd rownd y munud glywodd hi'n llais i, a'i llais yn swnio fel tasa ganddi hi annwyd.

"Wedi... wedi gorfod mynd i seinio mlaen mae o, Alffi. Stedda reit handi, 'nei di, ne mi fydd y bws yn siŵr o fynd hebdda chdi."

"Seinio mlaen?" medda fi, gan estyn am y bocs cornfflêcs ar y bwrdd. "Seinio mlaen i bwy?"

Chwaraewyr pêl-droed fel Rooney a Thierry Henry oedd yn cael eu harwyddo, o be o'n i'n dallt. Dwi'n gwbod bod Dad wedi bod yn dipyn o foi yn ei ddydd, ond rŵan ei fod o'n dri deg pump, mae o'n llawer rhy hen i gael ei arwyddo gan neb ond tîm penshonîars!

Ond cyn i Nain Bach gael cyfle i ateb, dyma fi'n teimlo llaw oer ar gefn fy ngwddw a llais Gafin Gorila fel taran.

"Iawn, Alfred?"

"Pai-yd, y fflipin gorila!" medda finna, a thywallt y llefrith yn flin ar ben y creision ŷd. Mae'n gas gen i Gafin Gorila yn fy ngalw wrth fy enw llawn.

"W! *Touchy*!" medda fo wedyn mewn hen lais gwirion.

"Stedda wir, Gafin, a phaid â gneud miri," medda Nain.

Dyma fi'n sbio ar Nain. Roedd hi'n brathu ei gwefus fel tasa hi ar fin deud mwy, rhwbath fel 'heddiw o bob diwrnod' ne rwbath felly, ond ei bod wedi dal y geiriau yn ôl.

Doedd Nain Bach ddim yn byw yn ein tŷ ni, ond rhyw dri drws i lawr y lôn mewn tŷ bach andros o dwt a chloch drws ffrynt oedd yn canu cân wrth i chdi ei gwasgu. Byth ers i Mam… fynd… mae Nain wedi bod yn dwad draw yma i helpu Dad efo'r gwaith tŷ a gneud brecwast a rhoi cic yn nhin y tri ohonan ni yn lle bo ni'n gorwadd o gwmpas y lle 'ma'n gneud dim byd a methu ysgol a ballu.

Nain Bach ydy'r unig berson dydy Gafin ddim yn ei hateb yn ôl.

Erbyn hyn roedd Gafin wedi eistedd ac yn rhawio'r creision ŷd bach oren i mewn i'w geg nes eu bod yn eu colli dros bob man. Mae Gafin wastad yn bwyta fel tasa rhywun wedi rhoi teimar ar y bwrdd ac yn gweld faint fedar o fwyta mewn llai na munud. Gafin fasa'n ennill pob tro tasa 'na gystadleuaeth felly.

"Dad 'di mynd?" gofynnodd Gafin, rhwng cegiadau. "Gorfod dechra gwaith yn gynnar heddiw? Newid shiffts?"

Tynnodd Nain Bach gadair allan o dan y bwrdd ac edrych am eiliad fel tasa hi'n mynd i eistedd i lawr, rhwbath fydda byth yn digwydd. Dwi rioed 'di gweld Nain yn eistedd, dim ond un waith, pan adawodd Mam, a Dad yn gwrthod dwad allan o'i stafell wely. Ond eisteddodd Nain ddim heddiw, chwaith. Newidiodd ei meddwl yn sydyn, a dechra clirio'r bowlen roedd Gafin newydd ei wagio, a throi 'nôl at y sinc.

Cododd fy nghalon. Doedd petha ddim yn rhy ddrwg, felly. Sefais ac wrth fynd am y drws, anelais rhyw fflic bach slei ar gefn gwddw Gorila wrth ei basio.

"Oiiii!"

Cydiais yn fy mag ar y ffordd allan a'i gneud hi'n reit handi allan o'r drws ffrynt ac am y lle bws.

2
PEN BACH AR Y BWS!

Ti'n gwbod pan ti'n eistedd ar y bws, 'de, wyt ti o hyd yn cael y pen bach yna o Flwyddyn 11 yn dwad i eistedd y tu ôl i ti a bod yn boen? Wyt? Finna 'run fath. Wayne 'di o ar ein bws ni. "Yn 'Wayne' o glust i glust", fel oedd prifathro ysgol bach yn ei ddeud o hyd ers talwm, a meddwl ei fod o'n ddoniol. Mae Wayne yn gneud i Gafin Gorila edrych fel Einstein. Mae Wayne yn meddwl ma'r peth mwya ffyni yn y byd i gyd ar y ffordd i'r ysgol ydy pwnio chdi yn dy gefn, ne gicio cefn y gadair efo'i benglin, nes bo chdi'n troi rownd, ac wedyn mae o'n dy bigo di yn dy foch efo'i hen fys hir. Does gen i ddim mynadd efo Wayne ar y gora, ond doedd gen i yn bendant ddim mynadd efo fo bora 'ma.

Roedd o wedi dechra arni cyn i'r bws gyrraedd pen draw'r pentra.

"Aha! *Fail*, Alffi! Ti 'di methu 'ŵan, do, washi?"

"Rho'r gora iddi, Wayne! Pen bach!" meddwn yn syth, gan neud llygaid cul arno fo fatha Draco Malfoy yn Harry Potter, iddo fo ddallt 'mod i ddim yn y mŵd am lol. Eisteddais yn ôl, a syllu i du blaen y bws, a thrio meddwl am betha neis. Am Medi, mewn geiriau eraill.

Drwy'r ffenest, gwelais fan lefrith wedi ei pharcio ar ochr y lôn, a Iori Iog, y dyn llefrith, yn ei sbectol haul yn sbio i fyny ar y bws fel *filmstar.* Fel tasa'r bws yn llawn o'i ffans! Codais fawd ar Iori, ond sylwodd o ddim arna i ma raid.

Teimlais y sêt yn ysgwyd wrth i Wayne wthio ei benglin yn ei herbyn. Trïais beidio cymryd sylw. Mi ddigwyddodd eto. Ceisiais beidio cymryd sylw eto, gan gyfri i ddeg fel oedd Miss Jones Drama wedi'n dysgu ni i neud pan oeddan ni'n teimlo'n bod ni'n mynd i wylltio. Cyrhaeddais i bedwar. Pan ddigwyddodd y trydydd tro, dyma fi'n gwylltio, yn colli limpin go iawn.

"Waaaayne!"

Roedd llygaid Wayne fel soseri pan drois i edrych arno. Ma raid fod golwg uffernol arna i! Ro'n i ar fin rhoi llond pen i'r lob, pan stopiodd y bws, gan daflu pawb ymlaen rhyw chydig.

Syllodd pawb i'r tu blaen i weld be oedd yn bod, ambell un yn sefyll er mwyn cael golwg iawn. Mi darodd y bws yn erbyn dafad rhyw dro, ac er fod y ddafad yn berffaith iawn, roedd 'na homar o ddent yn ochr y bws wedyn am fisoedd tan iddo fo gael ei drwsio. Ond nid i ddafad roedd y bws wedi stopio.

Y munud welis i Medi Clarke yn dwad i fyny ar y

bws, dyna hi wedyn. Diflannodd pob smotyn blin o 'nghorff a gallwn deimlo fy hun yn mynd yn rhyfadd i gyd y tu mewn. Roedd o'n dipyn o embaras, a deud y gwir, felly dyma fi'n troi i edrych allan drwy'r ffenest, gan dynnu coler fy nghôt yn dynn amdana i, rhag i neb sylwi arna i'n cochi.

Dwi'n gwbod ei fod o'm yn cŵl iawn i gyfadda bo chdi mewn cariad efo rhywun, a dwi'm 'di deud hyn wrth bawb, yn amlwg! Ond dwi wir yn meddwl 'mod i mewn cariad efo Medi Clarke. Dwad i'n hysgol ni yn hwyr wnaeth hi, ar ganol Blwyddyn 8. Ro'n i'n gwbod o'r funud y daeth hi i Cofrestru, yn swil i gyd ac yn troi ei gwallt hir melyn o gwmpas ei bys. Ro'n i'n gwbod o'r eiliad honno mai hon oedd yr hogan i mi.

Yn anffodus, roedd Medi Clarke braidd yn hir yn sylweddoli mai fi oedd yr hogyn iddi hi.

"Iawn, Alffi?" meddai wrth ddod yn nes ata i yn y bws, gan roi'r wên ddela yn y byd arna i cyn mynd i eistedd rhyw ddwy sêt o 'mlaen i.

Codi fy mhen a gwneud rhyw sŵn oedd yn gymysgedd o "Iawn? Smai? Haia" ne dwn i'm be wnes i.

"Iasmia?!"

I neud petha'n waeth, dyma fi'n gneud hynny mewn rhyw hen lais hogan oedd yn gneud i mi swnio tua wyth oed! Damia fod 'n llais i'n hir yn torri!

Ro'n i'n caru Medi Clarke, ond do'n i DDIM yn

caru'r effaith roedd hi'n ei chael arna i, gan neud i mi, Alffi Jones, swnio'n rêl ploncar!

Yn sydyn, teimlais wynt cynnes ar fy ngwar, a rhyw hen ogla drwg ar y gwynt hwnnw. Wayne!

"Www! Welist ti hynna, Alffi?"

Teimlais fy nghalon yn suddo i'm hesgidia. Y peth ola ro'n i angen oedd fod HWN yn cael smel fod rhwbath yn mynd mlaen rhwng Medi a fi, cyn iddo fo hyd yn oed ddechra! Mi fydda hi bendant yn *adios amigos* ar Medi a fi wedyn!

"Gweld be?" medda fi, yn cŵl i gyd ond heb droi 'nôl, fel tasa gen i ddim pwys yn y byd amdano fo.

"Dipyn o bêb honna, dydi? Er bod hi'n Blwyddyn 9!"

"Pwy 'lly?"

Chwara hi'n cŵl, Alffi mêt, medda fi wrtha i fy hun. Chwara hi'n cŵl!

"Sa'm rhyfadd bo chdi 'di cochi at dy glustia Alffi, mêt!"

"E? O, cau hi, Wayne Wirion, 'nei di? Dwi'm yn fêt i chdi a fydda i byth... Jest..."

"Be alwist ti fi?"

"E? Wayne Wirion, 'de! Achos dyna be w't ti! Fflipin gwirion!"

O'n i'n gwbod 'mod i'n chwara gêm beryg. Un peth ma'n gas gan Wayne ydy cael ei alw'n 'Wayne Wirion'.

Dwn i'm yn iawn be ddigwyddodd wedyn. Dim, a deud y gwir, er fod fy meddwl i wedi llunio ffilm berffaith o be ddigwyddodd yn nes mlaen yn y diwrnod hefyd, ac yn ei chwara fo'n ôl fel tamad YouTube bob tro roedd petha'n dechra mynd yn niwl.

Mi safodd "Wayne o glust i glust" ar ei draed. Do, mi ddigwyddodd hynny. Ac edrych yn ddigon hyll arna i hefyd. Roedd fy mag ar fy nglin i, achos fod y mwngral 'di trio rhoi Super Glue ar waelod y bag rhyw dro fel ei fod o'n sownd i lawr y bws pan o'n i'n trio gadael. Ro'n i'n gneud yn siŵr 'mod i'n gafael yn fy mag ar fy nglin ers hynny.

Yn y cyffyffl, a finna ddim yn hapus o gwbwl efo'r olwg cyth roedd o'n ei rhoi i mi, dyma fi'n gafael yn y bag. Ma'n rhaid fod poced ochr fy mag i ar agor rhywsut, a dyma'r marblis a'r *gobstoppers* yma'n dechra tywallt allan o'r bag dros draed Wayne, a fo a fi'n sbio'n hurt arnyn nhw.

Wedyn dyma petha'n dechra mynd yn flêr.

Y funud honno, penderfynodd dreifar y bws wneud *emergency stop*. Dyma Wayne yn fflio mlaen efo jest digon o amser i afael yng nghefn sêt Medi Clarke i sadio'i hun. Ond wedyn wrth iddo fo ddechra symud a cherdded, mi safodd ar ben y *gobstoppers* a'r marblis rhywsut. Ar ôl hynny dechreuodd yr hwyl. Wayne yn cerdded fatha tasa'r crinc ar *Dancing on Ice*, a mwya'n byd roedd o'n mynd i drybini, mwya'n byd roedd pawb yn dechra troi rownd a chwerthin am ei ben.

Wyt ti rioed wedi gweld hen lun du a gwyn o rhywun fel Charlie Chaplin yn actio rhywun sy'n llithro a methu cerdded? Wel, dyna i chdi Wayne! Roedd o'n goesa ac yn freichia i gyd, ac yn methu'n glir â symud yn ei flaen nac yn ei ôl. Mi syrthiodd ar ei din ar lawr y bws yn y diwadd, do. Syrthio ar ei din a'i draed yn yr awyr. Aeth pob man yn ddistaw am eiliad ne ddwy. Yna mi ddechreuodd rhywun glapio. A dechreuodd rhywun arall chwerthin, rhywun arall chwibanu. A dyna hi wedyn. Roedd y bws yn fôr o chwerthin a chlapio a chwibanu fel haid o ganeris.

Dwi'n siŵr fod hannar y bws wedi chwerthin cymaint nes eu bod nhw wedi gwlychu'u trwsusa y bora hwnnw cyn cyrraedd y blwmin ysgol. Ac ar ôl cyrraedd iard yr ysgol, roedd yn rhaid i ddreifar y bws droi tu min yn diwadd a gorchymyn i bawb fynd oddi ar y bws ne mi fasa fo'n mynd i nôl y Prifathro.

Chwerthin, latsh bach! Ac wrth gerdded tuag at ddrws mynediad Blwyddyn 9, gan neud yn siŵr 'mod i'n cadw o olwg Wayne, do'n i'n methu disgwyl i gael deud yr hanes I GYD wrth Caio a Sara Jên yn Cofrestru.

3
NEWYDDION DA!

"Blwyddyn 9W, 'na i'm gofyn eto! Be sy'n bod arnach chi bora 'ma?"

Doedd Heledd Rogers Rej ddim yn athrawes flin iawn fel arfer, ond roedd hi'n amlwg dan bwysau bora 'ma.

"Dach chi'n *stressed* bora 'ma, Miss?" medda fi, yn trio bod yn glên, achos 'mod i'n teimlo braidd yn euog mai fi a'n stori am Wayne ar y bws oedd achos y cynnwrf yn y dosbarth.

Roeddwn i'n un da am gael gwên gan Miss Rogers fel arfer, (ac roedd hi'n dipyn o bêb a deud y gwir!) ond sbio'n hyll wnaeth honno arna i bora 'ma hefyd, a pheidio ag atab.

"Byddwch ddistaw! Ne mi fyddwch chi i gyd yn dwad yn ôl i mewn amsar cinio i neud yn iawn am yr amsar dach chi'n gwastraffu rŵan."

Roedd y geiriau hud "dwad i mewn amsar cinio" wedi gweithio. Trodd pawb i wynebu'r tu blaen a throi'n angylion bach ar yr un pryd. Cymerais gipolwg ar wyneb Caio, ac roedd hyd yn oed hwnnw'n edrych fel tasa fo rioed 'di gneud rhwbath drwg yn ei fywyd, ac yn barod i sbrowtio adenydd a *halo* unrhyw funud.

Edrychodd Miss Rogers ar wyneb pob un yn araf, cyn ymlacio fymryn a dechra siarad.

"Cyn i chi fynd i'ch gwersi heddiw, mae'r Adran Ffrangeg wedi gofyn i mi ddosbarthu ffurflenni am y trip i Baris."

"Paris? Trip?" medda pawb ar unwaith, cyn i bawb fynd yn dawel eto wrth i Miss Rogers godi ei llaw am ddistawrwydd.

"Rŵan, dach chi'n gwybod bod hyn yn rhywbeth sy'n cael ei gynnig bob blwyddyn i Flynyddoedd 9 a 10. Mae yna rai ohonoch chi sydd yn bendant isio dewis Ffrangeg fel pwnc ar gyfer eich TGAU y flwyddyn nesaf. Faint ohonoch chi sy'n meddwl gwneud hynny?"

Saethodd rhyw chwech llaw i fyny fel siot, a llaw blincin Elfyn Evans oedd y gynta. Toedd gan ei rieni rhyw dri tŷ yn Ffrainc, ac Elfyn yn brolio'i fod o'n siarad fel 'sa fo 'di cael ei eni yno!

"Wela i. A faint ohonoch chi sy'n ystyried falle cymryd Ffrang…"

Cyn i Miss Rogers gael cyfle i orffen ei brawddeg, roedd gweddill y dosbarth wedi saethu eu dwylo i'r awyr, gan gynnwys fy llaw i. Gwenodd Miss Rogers.

"Ffrangeg yn bwnc poblogaidd iawn mwya sydyn, tydi?" meddai, a dal fy llygaid. Gwenais inna'n ôl arni.

"Faint ydy o, Miss?" medda rhywun o gefn y dosbarth.

"Ia, faint mae'n costio?" medda rhywun arall.

"Dwn i'm… gad i mi weld… dau gant a hanner o bunnoedd, dwi'n meddwl," medda Miss. "Ia, dyna ni… dau gant a hanner, yn cynnwys teithio ac aros a phob dim."

"No wê!" medda rhywun o gefn y dosbarth. "Dau gant…?"

"Tydy hynna'm yn ddrwg!" medda Elfyn, ac mi fedrwn i fod wedi ei sodro fo yn y fan a'r lle heblaw 'mod i'n cogio bod yn angel. Dau gant a hanner o bunnoedd! Ddim yn ddrwg?

"Mae'n dipyn o arian, tydi? Ond mae ganddoch chi dri mis i dalu'r swm llawn. Mae'n bwysig eich bod chi'n cael gair efo'ch rhieni… efo Mam ne Dad" cywirodd ei hun, achos roedd tipyn ohonan ni yn 9W oedd heb *full set* o rieni.

"'Dan ni angen yr enwau a'r pum deg punt cynta erbyn dechra wythnos nesa. Iawn? Unrhyw gwestiynau?"

Roedd gen i gwestiynau. I ble'n union roeddan ni'n mynd? Ble fasan ni'n aros? Oedd Caio a Sara yn mynd, ac yn bwysicach na dim, oedd Medi Clarke yn mynd i fod yn mynd ar y trip hefyd? Pa well cyfle i neud iddi hi syrthio mewn cariad efo fi na bod yn y ddinas fwyaf rhamantus yn y byd?

"Iawn, casglwch eich ffurflen ar y ffordd allan, a *bonne chance*!" medda Miss Rogers, yn trio dangos ei hun.

"Lwc dda i chitha hefyd, Miss!" medda Elfyn y crafwr

wrth basio, a rhoi rhyw wên fach slei arna fi, cystal â deud bod dau gant a hanner bron iawn yn gymaint â fydda fo'n ei gael mewn pres pocad bob wythnos.

"Ti'n mynd, Alffi?" medda Sara Jên, gan godi ei phen am eiliad o astudio'r ffurflen. Un o'n criw ni oedd Sara Jên ac roedd hi'n ol-reit, er mai hogan oedd hi. 'Dan ni wedi bod yn ffrindia ers ysgol bach – fi, Sara a Caio – ac mi fedran ni ddeud rhwbath wrth ein gilydd – bron iawn!

"*Too right*! Wbath i fethu ysgol a cha'l bach o hwyl, 'de, Sar! Ac mi ga i gyfle i ddangos i'r Ffrenshis be 'di steil!"

Cydiais yn fy ngholer a'i throi i fyny, gan fflicio cudyn o ffrinj oedd wedi dianc yn rhydd o'r jèl a syrthio ar draws fy nhalcen.

"Rhaid i ni drio gwrando mwy yn y gwersi Ffrangeg o hyn mlaen felly, bydd?" medda Caio gyda gwên. "Ne fydd Babs Baguette ddim yn gadael i ni fynd." Babs Baguette oedd yr enw roeddwn i wedi ei roi ar Mrs Barbara Hughes, yr athrawes Ffrangeg, am resymau amlwg!

"Rhaid i ni drio bod yn hogia bach da, ffwl stop!" medda Sara Jên. Edrychodd y tri ohonan ni ar ein gilydd.

Roedd yr wythnosau nesa yma yn mynd i fod yn rhai anodd – anodd iawn!

4
ENNILL A CHOLLI

Aeth gweddill y diwrnod yn ei flaen yn sydyn iawn. Diwrnod da! Wnes i'm cael ffrae yn unrhyw un o'r gwersi gan 'mod i'n trio peidio siarad, ac yn gwrando ar yr athro (ne'n cogio gwrando!). Dwi wedi ffeindio bod edrych i fyw llygaid yr athro ac ysgwyd fy mhen i gytuno bob hyn a hyn yn gweithio'n grêt! Ges i hyd yn oed Pythagoras yn gwenu arna i wrth i mi adael ei wers Maths. Ond roedd byhafio fel hyn am ddiwrnod yn un peth: sut ddiawl fyddwn i'n llwyddo i neud hynny tan y trip?!

I neud y diwrnod yn un gwell fyth, doedd dim golwg o Wayne ar y bws ar y ffordd adra. Mae'n rhaid ei fod o mewn ymarfer pêl-droed neu rwbath, ne wersi ar ôl ysgol ar sut i fod yn ben bach *annoying*!

Wedi ffendio sêt ar y bws, dyma fi'n tynnu ffurflen y trip Ffrainc o'r bag. Mae'n rhaid i mi fod yn onest, cynllwyn oedd hyn, cynllwyn er mwyn denu sylw Medi Clarke. Ac mi weithiodd! O gornel fy llygad, gallwn ei gweld yn pasio heibio i mi i fynd i eistedd yng nghefn y bws. Ar y funud honno, dyma fi'n gadael i'r ffurflen hedfan fel pili-pala drwy'r awyr a glanio wrth ei thraed.

"W, sori! Bysadd menyn!" medda fi yn y llais mwya rhywiol oedd gen i, a thrio rhoi fy ngwên ora iddi hi. Bu bron i mi wincio hefyd, ond roedd arna i ofn iddi feddwl fod gen i chwinc! Ara deg, Alffi!

Oedodd Medi am eiliad, cyn gwyro a chodi'r tamaid papur a'i roi i mi. Sylwais fod ganddi ewinedd gwyn, glân, yr ewinedd dela a welais erioed!

"Trip Ffrainc!" medda hi. "Ti'n mynd?"

"*Too right* dwi'n mynd! Fydd o'n hwyl, bydd?"

"Bydd, am wn i. Bechod ma Paris 'dan ni'n mynd, 'te?" medda hi, a rhyw linellau poeni bach yn ymddangos rhwng ei llygaid gorjys hi.

Toeddwn i ddim yn dallt yn iawn be oedd ganddi, ond yr unig beth ddudish i oedd:

"Bechod?"

"Ia. Dwi 'di bod 'no dair gwaith yn barod. Os ti 'di gweld yr Eiffel Tower unwaith, ti 'di'i weld o ganwaith, do?"

"O, ia... ti'n iawn yn fan'na," meddwn inna fel taswn i'n mynd i Baris bob yn ail wicend, a gneud llygaid llo bach 'nôl arni.

★

Sefyll ar stepan drws ffrynt tŷ ni yn pysgota am y goriad yn fy mag oeddwn i pan welais i Iori Iog. Ne pan glywais i Iori, ddylwn i ddeud.

"Iaaawn dwwwwd?" medda'r llais, yn llyfn fel triog melyn.

"Iaaawn boooooi?" medda finna yn ôl.

Mae Iori Iog lot hŷn na fi. Ddudodd Caio fod o tua dau ddeg pump, a faswn i'm yn synnu ei fod o'n iawn. Mae'n anodd deud. Y llygaid sy'n datgelu oed pobol fel arfer. Digon hawdd cael gwallt a dillad trendi, ond os oes yna linellau bach o gwmpas y llygaid, dach chi'n gwbod wedyn. Ond mae hi'n anodd deud efo Iori, achos dwi'm yn meddwl 'mod i rioed wedi'i weld o heb ei *shades*, ei sbectol haul. Sbectol haul, gwynt a glaw ydyn nhw i Iori.

Y peth efo Iori Iog ydy ei fod o'n meddwl ei fod o'r un mor cŵl â ni hogia ysgol. Mae o'n siarad fel tasa rhywun yn ei ffilmio fo o hyd.

"Lle ma'r fan lefrith gen ti heddiw, Ior?" medda fi, a dal i bysgota am y blincin goriad. Roedd hi'n dechra bwrw, a do'n i ddim isio bod yn sefyll yma'n malu awyr efo Iori ac yn gwlychu.

"Lle saaaff. Mae'n *sorted,* Alff. *No sweat…*"

"Lle ti'n mynd 'ŵan, 'ta? I dre?" gofynnais.

"I neud hyn a llall, 'de, dŵd? Hyn a llall…" medda Iori Iog gan drio swnio'n gyfrinachol a diddorol.

Cododd Iori goler ei jaced i fyny i drio edrych yn rêl boi. Roedd o'n edrych dipyn bach o ben rwdan, a deud y gwir. Ond 'nes i ddim deud dim byd, chwaith!

“Wela i di’n nes mlaaaaaen. A cofia fi at Sam,” medda Iori.

A dyma Iori’n cario mlaen ar hyd y stryd fel tasa fo’n *filmstar* yn hytrach nag yn ddyn llefrith.

Gwenais wrth edrych arno’n pellhau.

Pam oedd o isio i mi ei gofio fo at Dad? meddyliais. Doedd o ddim fel tasa’r ddau ohonyn nhw yn benna ffrindia na dim byd felly. A deud y gwir, roedd Dad yn meddwl fod Iori’n dipyn o glown. Mi fydda’n rhaid i mi holi Dad rhyw dro.

Ar y funud honno, dyma’r drws ffrynt yn agor fel tasa fo’n agor ohono’i hun.

Safai Dad y tu ôl i’r drws . Roedd o’n gwenu.

“Dad!” medda fi, a chamu mewn i’r tŷ. Roedd hi’n braf cael Dad adra pan oeddwn i’n dwad adra o’r ysgol. Er ’mod i rioed wedi deud gair, roedd hi’n medru bod yn od iawn dwad adra i dŷ gwag, a neb ond y pryfaid cop yn disgwyl amdana i. Roedd gan Nain Bach joban llnau yn y pnawnia fel arfer, ne’n mynd i dre ar y bws efo Doris Morris ei mêt, felly anaml iawn y bydda hi yma. Fel arfer, doedd dim ots gen i, dim ond helpu fy hun i grisps o’r cwpwrdd ac edrych ar y teledu ne chwara Play Station.

“Isio panad, Dad?” medda fi yn ddigon joli. Os oeddwn i’n mynd i roi’r ffurflen trip Ffrainc o flaen ei drwyn o mewn munud, roedd hi’n syniad da i mi grafu tipyn!

"Gen i rwbath i ddeud wrtha chdi, Alffi!" dechreuodd Dad.

"A gen inna rwbath i ddeud wrtha chitha 'fyd!" medda fi, a meddwl sut oeddwn i'n mynd i fedru gneud i ddau gant a hanner o bunnoedd swnio'n chydig.

"Ista i lawr, Alffi," medda Dad. Doedd o ddim yn gwenu rŵan. Ac roedd rhwbath yn ei lais o oedd yn deud wrtha i am neud yn union be oedd o'n ddeud, a hynny'n reit handi.

"Y peth ydy… dwi 'di colli 'ngwaith, yli, Alff," medda Dad, a'i lais o'n swnio rŵan fel petai ganddo fo annwyd, fel llais Nain Bach bora 'ma.

"Yn Peebles?" medda fi. Dwn i'm pam 'nes i ofyn cwestiwn mor wirion.

"Ia, siŵr! Peebles," medda Dad, a sbio i lawr ar ei draed.

"'Di Nain yn gwbod?" Cwestiwn gwirion arall. Da iawn, Alffi!

"Y… e? Yndi… yndi siŵr. A Gafin erbyn hyn."

Am eiliad teimlais yn flin fod Gafin wedi cael gwbod am hyn cyn fi, ond mi ddiflannodd y teimlad yn sydyn wrth i mi weld wyneb Dad.

"Ond… toeddach chi'm yn licio 'no medda chi, nag oeddach? Ca'l job arall, 'de! Yn rhwla gwell sy'n talu mwy o bres…"

Cododd Dad ei ben a gwenu arna i, gan bwyso mlaen a rhwbio 'ngwallt efo'i law, gan dynnu 'nôl braidd yn sydyn oherwydd fod y jèl yn dal fy ngwallt mewn pigau siarp.

"Dria i 'ngora, boi. Ond, ella fydd petha'n reit dynn arnan ni, am chydig bach 'ŵan. Rhaid mi… rhaid mi ganslo'r Limo a'r *earrings* deimond i dy glust di, iawn, Alff?"

Nodiais fy mhen a thrio gwenu'n ôl. Ond roedd fy nghalon yn teimlo fel carreg, er gwaetha ymdrech Dad i'w chodi efo jôc wael.

"'Na i banad i ni, ia?" meddai Dad, a sefyll ar ei draed, bron iawn yn falch o fod wedi gorffen deud.

"Pa hanes sgin ti i mi, 'ta Alffi? Rhwbath i godi 'nghalon i?"

"O, dim byd!" medda fi. "Dim byd pwysig, beth bynnag."

*

Roeddwn i ar fin syrthio i gysgu pan ddaeth sŵn o fy iPhone yn deud bod gen i neges ar Facebook.

Gan Caio oedd y neges:

Mam yn deud ok. Result!
A Dad chdi?

Diffoddais y ffôn heb ateb.

5
HEN JOB YDY CHWILIO AM JOB!

Ti 'di bod methu cysgu rioed, a gweld munud fel awr ar y cloc larwm wrth dy wely? Roedd hi tua 2 o'r gloch y bora erbyn i mi syrthio i gysgu yn y diwedd. Pob tro y caewn fy llygaid, fedrwn i weld dim byd ond y blwmin tŵr Eiffel. Ar ôl i mi fedru syrthio i gysgu o'r diwedd, roedd y tŵr Eiffel yno eto yn fy mreuddwyd, ond y tro yma, roeddwn i ar ben fy hun ar y llawr yn edrych i fyny arno. Gallwn weld Caio a Sara Jên ac Elfyn ar ben y blwmin peth, yn codi llaw arna i ac yn chwerthin. Yna dyma Medi yn ymddangos efo nhw, a chodi llaw a chwerthin a chwythu sws i lawr ata i, a chwerthin eto, mewn hen ffordd annifyr.

Diolch byth ei bod yn fora Sadwrn. O leia doedd dim rhaid i mi lusgo fy hun at y bws bora 'ma a gorfod diodde Wayne a'i dricia bach gwirion. O leia doedd dim rhaid i mi orfod gweld Medi a gwbod na fyddwn i fyth yn gallu bod efo hi ar y trip rhamantus i Baris. O leia gallwn aros yn fy ngwely a phwdu!

Estynnais am yr iPhone oedd yn gorwedd ar y llawr wrth fy ngwely. Roedd neges arall wedi dwad i mi ar Gweplyfr, gan Sara'r tro hwn. Roedd hi wedi postio hefyd fod ei rhieni hi yn deud 'iawn' am Ffrainc, a'i bod hi'n methu aros. Estynnais am y dwfe, a'i dynnu dros fy mhen.

*

"Alffiiiii!"

Eisteddais i fyny yn y gwely mewn braw, ac edrych ar fy nghloc larwm! Hanner dydd! Mae'n rhaid 'mod i wedi mynd yn ôl i gysgu'n drwm. Rhwbiais fy llygaid ac edrych o gwmpas fy stafell.

Agorodd drws y llofft, a safai Nain Bach yno.

"Cwyd, y diogyn!" meddai, ond doedd ei llais ddim yn swnio'n rhy gas chwaith.

"Sgin i'm mynadd codi!" medda fi.

"Be ti'n feddwl sgin ti'm mynadd codi, hogyn?! Ti am aros yn dy wely drwy'r dydd?"

"Yndw!" medda fi yn bwdlyd, a phlygu fy mreichiau.

Daeth Nain Bach i eistedd ar fy ngwely, am y tro cynta ers oesoedd. Do'n i ddim isio hi yno. Do'n i ddim isio unrhyw un yn agos ata i heddiw.

"Be sy, Alffi?" meddai.

Gallwn deimlo fy nhu mewn yn dechra toddi! Daria Nain Bach! Hi oedd yr unig un yn y byd oedd yn gallu gneud i'r dagra ddod i'm llygaid. Daria hi! Daeth y geiria fel bwledi:

"Ma 'na drip! Efo'r ysgol! I Baris!"

"Wela i! Ac roeddach chdi 'di meddwl cael mynd?"

"Oeddwn!"

"A rŵan ma dy dad 'di colli ei waith!"

"'Di o'm yn fflipin deg!" meddwn, a throi fy ngefn ati fel fy mod yn wynebu'r ffenest. Ti rioed wedi bod fel hyn – gwbod bo chdi'n byhafio fel rêl ploncar ond yn methu stopio? Dyna sut ro'n i'n teimlo ar y funud honno.

"Faint ydy o, Alff?" medda Nain, a'i llais yn swnio fel tasa hi ddim wedi sylwi o gwbwl bo fi'n byhafio fel drong.

"Dau gant a hannar. O bunnoedd!" ychwanegais, a difaru yn syth. Be arall? Dau gant a hanner o fotymau?

"O. Wela i," medda Nain Bach, a gallwn glywed yr olwynion bach yn troi yn ei phen. "Wel... fedar dy dad ddim fforddio..."

"Gwbod!" medda fi, a tharo fy mhen yn ôl ar y glustog yn fwy siomedig na blin.

"A fedra inna ddim fforddio rhoi dim gwerth at y trip i chdi, chwaith, 'sdi, Alffi. Sori!" medda Nain.

Roeddwn i'n dechra teimlo braidd yn annifyr rŵan am neud i Nain deimlo mor annifyr, a hitha o hyd yn trio'i gora.

"'Di o'm ots, eniwe," medda fi. "Dwi'n siŵr 'sa fo'm yn drip da iawn beth bynnag. Paris! " medda fi, fel taswn i'n sôn am dwll din y byd, yn lle dinas fendigedig. Ond doedd Nain ddim yn gwrando.

Aeth Nain yn ei blaen.

"Felly… os ti isio mynd ar y trip, 'sa'm yn syniad i chdi ddechra meddwl sut ti'n mynd i hel dy bres?"

"Pa bres?!" medda fi, ond er 'mod i'n dal i swnio braidd yn bwdlyd, ro'n i'n dechra teimlo'n well.

"Y pres fyddi di'n ennill pan fyddi di'n cael joban bach, 'de!" meddai Nain Bach.

Eisteddais i fyny, ac edrych arni hi. Wrth gwrs! Pam na faswn i wedi meddwl am hynny?! Cael joban dydd Sadwrn oedd yr ateb! Rhwbath fydda'n fy nghael i o'r tŷ o dan draed Gafin Gorila a Dad, ac yn ennill pres i mi'r un pryd!

"Nain! Dach chi'n ffan-blincin-tastig!" medda fi wrthi, a rhoi coblyn o hyg fawr iddi fel o'n i'n arfer ei roi ers talwm.

"Nid chdi 'di'r cynta i ddeud hynny, 'de!" medda Nain yn bryfoclyd. "Rŵan, ti am godi i gael dy frecwast? 'Ta i gael dy ginio ddylwn i ddeud!"

★

Ar ôl llowcio un o frechdana bacwn ac wy gora Nain, dyma gychwyn allan. Doedd dim golwg o Dad na Gafin, wrth lwc, felly doedd neb yno i holi i lle ro'n i'n mynd.

"'Newch chi gadw hyn yn ddistaw, Nain? Peidio deud wrth Dad?!"

"Pam?" medda Nain.

"Well gen i roi syrpréis iddo fo ar ôl i mi gael gwbod lle dwi'n mynd i fod yn gweithio," meddwn inna.

"Iawn, 'ta. Am y tro," medda Nain, ond doedd hi ddim yn swnio'n rhy hapus. Tydi Nain ddim yn licio cadw cyfrinacha wrth Dad. Mi wnaeth Mam ddigon o hynny, medda hi rhyw dro. Wnes i rioed ofyn be oedd hi'n feddwl.

I'r archfarchnad i lawr y lôn es i'n gyntaf. Roedd tipyn o blant ein hysgol ni'n gweithio yno; llenwi silffoedd ro'n nhw fel arfer, ne ambell un yn rhoi trefn ar y trolis, brwsio'r llawr ac ati. Dim ond plant hŷn ne oedolion oedd yn cael mynd ar y tils a thrin pres, fel arfer. Roedd hynny'n tsiampion efo fi.

Dyma fi'n mynd at ryw ddynes oedd chydig yn hŷn na'r lleill, a golwg reit glên arni hi.

"Ga i siarad â'r Rheolwr, plis? Y Manijar," medda fi wedyn, rhag ofn nad oedd hi'n dallt Cymraeg yn rhy dda.

"Pwy sy'n gofyn?" medda hi, gan edrych i lawr ei thrwyn arna i braidd.

"Alffi Jones!" medda fi, a rhoi un o'n *killer smiles* iddi hi, fel ma genod yn licio. "Chwilio am job dwi, dudwch wrtho fo!"

"Gei di ddeud wrtha fi dy hun, Alffi Jones!" medda'r

ddynes, ac mi ddisgynnodd y geiniog yn fy mhen efo sŵn tincial mawr! Hi oedd y Rheolwr!

Doedd ganddyn nhw ddim lle, medda Mrs Dynes Bwysig Rheolwr. Hen hwch sych iddi hi!

Ond wnes i ddim digalonni. Dyma holi wedyn yn y ganolfan arddio. Meddwl ella 'swn i'n rêl boi am gario berfa 'nôl a blaen, a threfnu tipyn o botia bloda mewn rhes ar y silff a'u dyfrio. Pa mor anodd allai hynny fod?

"Dwi'n licio bloda!" medda fi wrth y dyn bach efo sbectol a mwstásh oedd yn gwisgo ofarôl werdd efo enw'r ganolfan arddio arni mewn sgwennu gwyn. Mi edrychodd hwnnw i lawr ei drwyn arna i braidd, hefyd.

"Lot o waith cario 'ma. Gwaith trwm!" medda fo'n ddigon swta.

"Gen i fwy o fysls na chi, ddudwn i! Dach chi isio'u teimlo nhw?" medda fi. A difaru 'mod i wedi agor fy ngheg y munud y daeth y geiriau allan.

Do'n i'm isio gweithio yno go iawn, beth bynnag. Fedra i'm meddwl am ddim byd mwy diflas na bod ynghanol dail a compost drwy'r dydd, fedri di?

Ond ro'n i'n dechra rhedeg allan o syniada. Doedd dim llawer o bwynt i mi fynd i'r dre i chwilio am waith, nag oedd? Mi fydda hanner fy nghyflog yn mynd ar y bws i gyrraedd yno! Roedd yn rhaid i mi gael rhwbath oedd yn agos at adra ac yn gyfleus. Ond y cwestiwn oedd: be?

6
BRENWÊF – O FATH!

Daeth yr ateb o gyfeiriad annisgwyl.

Roedd Caio wedi anfon nodyn bodyn i mi fora Sul yn gofyn o'n i isio cyfarfod yn dre. Rŵan, roedd gen i dipyn o waith cartref oedd i fod i mewn erbyn bora Llun. Ac ro'n i wedi bod mewn trwbwl yn barod efo'r athro Daearyddiaeth am beidio â rhoi'r gwaith i mewn erbyn dydd Gwener.

Yn ein hysgol ni, bob tro dach chi'n peidio rhoi gwaith cartref i mewn, mae'ch henw yn mynd i ryw focs yn ystafell yr athrawon. Os oes un athro arall yn cwyno wedyn, mae 'na dân gwyllt – llythyr adra, mynd i weld y Prifathro a'r holl syrcas i gyd.

Roedd hyn yn syniad drwg ar hyn o bryd oherwydd:

1 Roedd gan Dad ddigon ar ei blât heb orfod cael hasls am ei annwyl fab Alffi!

2 Taswn i'n mynd i drwbwl yn yr ysgol, dyna ddiwedd ar unrhyw gyfle i fynd ar y trip Paris, hyd yn oed taswn i'n filiwnydd!

Wedi deud hyn, ro'n i jest â marw isio cael sgwrs efo Caio a Sara am sefyllfa'r chwilio am joban dydd Sadwrn. Do'n i ddim isio sôn gair wrth Dad, nac isio cyfadda gormod wrth Nain Bach 'mod i'n cael traffarth, rhag ofn iddi hitha boeni gormod. Os fydda gen rywun ateb, wel, Caio a Sara fydda'r rheiny!

★

Pan gyrhaeddais y sgwâr bach o dan y cloc, lle ro'n ni wedi trefnu cyfarfod, roedd Caio yno yn barod.

"Alffi booooi! Ti'n iawn?" medda Caio wedi i mi gyrraedd, a dyma'r ddau ohonan ni'n rhoi *high 5* i'n gilydd, fel fyddan ni.

"Sara'n dwad draw 'fyd?" meddwn, gan edrych o gwmpas amdani hi.

"Gneud ei gwaith cartra!" medda Caio, gan dynnu wyneb. Roedd yn iawn ar Caio. Roedd o'n cael gwaith ysgol yn haws na Sara a fi, ac yn gallu gorffen gwaith yn hanner yr amser roedd o'n gymeryd i ni.

Ar ben hynny, roedd mam Sara'n mynd yn flin efo hi os oedd hi'n dwad adra efo marciau gwael, gan fod mam Sara isio iddi fod yn ddoctor.

"Be wnawn ni, 'ta?" medda fi, gan ddechra teimlo braidd yn annifyr na fyddwn inna'n aros adra i neud fy ngwaith.

"Mbo..." medda Caio, a chodi ei ysgwyddau.

Brathais fy nhafod. Caio oedd wedi gyrru'r neges i ddeud wrtha i am ddwad draw! Ac i be? Ond dwi'r boi gwaetha am ddal fy nhafod efo Caio.

"Ti'n rêl drong, Caio!" medda fi, ond gwenu wnaeth o fel tasa fo 'di cael *compliment*! Er fod Caio'n reit glyfar, mae o'n medru bod yn ddwl fatha postyn weithia!

"Ti isio helpu fi i ffendio job, Caio?" medda fi.

"Job?" medda Caio a syllu'n od arna i. "Ond ti dal yn yr ysgol! Ti rhy ifanc i ga'l..."

"Pen rwd w't ti weithia, Caio!" medda fi. "Isio joban dydd Sadwrn i gael mwy o bres gwario ar gyfer Paris dwi, 'de!" medda fi.

"O! Gweld!" medda fo, a chochi rhyw chydig.

Galwa fi'n wirion, ond do'n i'm isio hyd yn oed cyfadda i Caio mai pres i dalu am y trip yn y lle cynta oedd y broblem, heb sôn am y pres gwario wedyn.

Eisteddodd y ddau ohonan ni ar ben y fainc a sbio ar y llawr. Aeth munuda heibio. Roedd hwn yn uffar o fora hwyliog, toedd! Dwi'n meddwl y byddai wedi bod yn well i mi aros adra a gweld Mal a Sal yn cael ras. Dwy falwoden dwi'n eu cadw yn fy stafell mewn bocs efo tylla ynddo fo ydy Mal a Sal. O dan y gwely maen nhw'n byw, achos fasa Nain Bach yn cael ffit biws tasa hi'n gwbod eu bod nhw'n byw efo fi! Tydi neiniau ddim yn dallt y petha 'ma, nac 'dyn? Ddim hyd yn oed nain eitha cŵl fel Nain Bach.

"Ti 'di trio'r archfarch…?" gofynnodd Caio.

"Do!" atebais. "Dim byd!"

"O!" Pwysodd Caio ei ben ar ei ddwrn a meddwl. "Be am y ganolfan ardd…?"

"Do! Dim lwc yn fan'no chwaith!"

Distawrwydd eto. Yna meddai:

"Ti 'di trio Iori Iog?"

"E?"

"Iori Iog!" meddai eto. "Ti wedi'i holi o?"

"I be faswn i isio gofyn oes gen Iori o bawb syniad am sut faswn i'n medru cael joban! Callia, 'nei di?"

"Pwy sy'n ben rwd rŵan?!" medda Caio, dan wenu. "Gofyn i Iori oes isio rhywun i helpu fo ar ei rownd, 'de!"

"Ond ma ganddo fo Tony Bach, does? Ers blynyddoedd!" meddwn i.

Roedd Tony Bach a Iori wedi bod yn fêts penna ers oeddan nhw yn ysgol bach, ac roedd y ddau yn mynd i bob man efo'i gilydd.

"Ond ma Tony Bach 'di rhoi'r gora iddi. Fo a Iori 'di cael uffar o ffrae am rwbath, a Tony Bach 'di deud neith o byth weithio i Iori eto! Ac ma Iori'n stryglo, dwi'n gwbod hynny."

"Sut ti'n gwbod hynny?" gofynnais, wedi dychryn fod Caio wedi deffro!

"Tydi llefrith ddim yn cyrraedd tŷ ni tan ganol bora, ac mae Mam wastad yn deud ei bod hi'n mynd i stopio'i ddefnyddio fo am fod o 'di mynd yn dda i ddim. Mae o'n colli cwsmeriaid, dwi'n gwbod hynny."

"Caio… ti'n… ti'n *brilliant*! Be wyt ti?"

"Pen rwd o'n i gynna!" medda Caio, ond roedd o'n gwenu wrth siarad.

"Roedd hynny, mêt, cyn i chdi gael brenwêf, doedd!" medda fi, gan neidio oddi ar y fainc a throi fel taswn i'n rhyw dwinc ar y rhaglen *Strictly* yna mae Sara'n licio.

★

Bu Caio a fi'n cnocio am oes pys ar ddrws Iori Iog cyn i rywun agor y drws. Rhyw foi diarth wnaeth agor, ac roedd hwnnw'n gwisgo sbectol haul hefyd, yn rhyfedd iawn. Sut oeddan nhw'n gweld yn y tŷ efo sbectol dywyll dros eu llygaid? Mi fydda'n rhaid i mi holi Iori pan oedd o a fi ar ein penna ein hunain rhyw dro. Do'n i ddim isio swnio fel pen bach yn holi o flaen ei ffrindiau.

"Iori yma?" medda fi, gan swnio fel tasan ni jest yn digwydd pasio.

Edrychodd y sbectol haul arnan ni, o un i'r llall, i fyny ac i lawr. Yna trodd yn ôl am y tŷ a galw:

"*Oi, Iori, there are two school kids here wanting to see ya*!" medda'r boi, a rhyw acen o bell ar ei Saesneg o.

Edrychodd Caio a fi ar ein gilydd! *Cheek*! Galw ni'n *school kids*, fel 'sa ni'n ysgol bach ne rwbath, a ninna ym Mlwyddyn 9!

Ymhen eiliadau, dyma Iori'n ymddangos wrth y drws yn ei sbecs haul, fel o'n i'n ddisgwyl. Edrychodd i fyny ac i lawr y stryd cyn dechra siarad efo ni, fel tasa fo mewn ffilm.

"Ia? Be dach chi isio?" medda Iori, yn ddigon sych efo ni, gan hopian o un droed i'r llall wrth siarad, fel tasa'i draed o ar dân.

"Traed chdi ar dân, Iori?" medda Caio'n ddigon gwirion, a rhythais yn hyll arna fo, cystal â deud "Cau geg!". Roeddwn i yma i drio cael joban gan Iori, wedi'r cyfan, nid i'w wylltio.

"Y?" medda Iori, ond mi weithiodd geiria Caio mae'n rhaid, achos stopiodd Iori hopio.

"'Di dwad yma i gynnig help i chdi, Ior," medda fi, gan drio 'ngora i beidio swnio'n desbret!

"Help?"

"Wel, ia, ne deud y gwir, meddwl fasan ni'n medru helpu'n gilydd o'n i, Ior."

Edrychodd Iori arna i, wedyn ar Caio, ac wedyn yn ôl arna i, fel taswn i'n siarad Wrdw ne ryw iaith arall doedd o ddim yn ddallt.

"Isio job efo chdi mae o!" medda Caio y diplomat.

Teimlais yn flin am eiliad efo Caio, ond wedyn mi ddiflannodd y teimlad blin pan welais i Iori'n dechra gwenu fel giât, gan ddangos dant aur do'n i ddim wedi sylwi arno o'r blaen yn un ochr ei geg.

"Fedri di godi'n gynnar yn bora?"

"Dim probs, Ior."

"Fedri di gario crêt o boteli llefrith o ddrws i ddrws heb eu gollwng nhw?"

"Siŵr medra i! Dwi'n gry 'sdi! Tydw, Caio?"

Edrychodd Caio fel tasa fo'n mynd i ddeud rhwbath sarci yn ôl, ond newidiodd ei feddwl, wrth lwc. Nodiodd ei ben i gytuno.

"Ti'n chwibanu?"

"E? Ym… ti isio i mi fedru chwibanu?"

"Nago's! 'Sa'n mynd ar 'n blwmin nyrfs i! Ocê, mi gei di'r job."

"E?"

Ar ôl cael cymaint o bobol yn deud "Na" wrtha i ddoe, do'n i ddim yn credu 'nghlustiau.

"Treial, iawn? Am ddiwrnod. I weld os 'dan ni'n siwtio'n gilydd."

"Iawn, grêt! Pryd ti isio i mi…?"

"Pump. "

"Pump yn bora?" gofynnais, ac yna ychwanegu, " Ia, iawn! Grêt!"

"Alwa i amdana chdi yn y fan am bump bora fory. Dallt?"

Ac yna dyma Iori'n cau'r drws yn glep yn ein hwyneba.

Dechruodd Caio chwerthin bron yn syth.

7
ROWND UN

Ro'n i wedi deffro ymhell cyn i mi glywed gwich lori lefrith Iori y tu allan i'n tŷ ni am bump.

Fel yna mae hi weithia, 'de? Pan ti'n gwbod bo chdi'n gorfod codi'n gynnar un diwrnod, ti'n deffro cyn y cloc larwm, 'twyt? Os o'n i'n gallu deffro mor hawdd â hyn, fydda fy joban newydd i ar y fan lefrith yn ddim problem o gwbwl.

Neidiais allan o'r gwely yn eitha sionc a rhedeg at y cyrtans i neud yn siŵr fod yna ddim fan lefrith arall wedi penderfynu stopio y tu allan bora 'ma o bob bora!

Roedd Iori yn edrych i fyny ar y ffenest, a chododd ei fawd arna i wrth fy ngweld.

Y gamp nesa oedd mynd i lawr y grisiau heb ddeffro unrhyw un arall yn y tŷ. Ro'n i wedi penderfynu nad oedd 'na'm pwynt poeni Dad am fy job newydd. Ac i fod yn onest, roedd arna i ofn i Dad roi ei droed i lawr a deud 'mod i'm yn cael gneud, gan fod Iori ymhell o fod yn un o hoff bobol Dad ar y gora, fel dwi 'di sôn!

Toeddwn i'n bendant ddim isio deud gair wrth Gafin, ne fasa hwnnw yn gneud dim byd ond tynnu 'nghoes i. Mi fyddwn i'n deud wrth Nain Bach yn nes ymlaen, ella, os oedd pob dim yn gweithio allan yn iawn.

Llwyddais i gyrraedd y drws ffrynt ar flaenau 'nhraed, a chau'r drws ar fy ôl mor ddistaw â phosib. Doedd dim symudiad yn y tŷ.

"Sut wyt ti laaaaaaaa? *Trial run* heddiw 'ta? I chdi ac i fi?"

"Tsiampion, Iori!" medda fi, a gwenu cystal â medrwn i am bump y bora! Roedd y ddynas gyrfaoedd sy'n dwad i'r ysgol wedi deud ei bod yn bwysig fod rhywun yn creu argraff dda a bod yn glên efo darpar gyflogwr. Er 'mod i'n nabod Iori yn o lew, do'n i ddim isio peryglu'r cyfle i gael swydd drwy fod â wynab fatha pen ôl babŵn, am bump o'r gloch y bora ne beidio.

Roedd yn deimlad braf gallu dringo i mewn i'r fan at Iori. Dreifar lori dwi isio bod, ella, ar ôl mi adael yr ysgol. Fedra i'm disgwyl nes fydda i'n dreifio, ac yn medru mynd i lle bynnag leicia i efo'n *wheels* fy hun! Dwi wrth fy modd efo unrhyw gar ne gerbyd, a deud y gwir.

Dwi'n meddwl y bydda berfa ne injan wnio wedi symud yn gynt na fan lefrith Iori, a do'n i ddim yn rhy hoff o'r sŵn swiiiiiiish roedd y cerbyd yn ei neud wrth lithro i fyny'r lôn. Ond o! Ro'n i wrth fy modd hefyd! Roedd hyd yn oed fan lefrith Iori yn curo cerdded!

"Job codi bora 'ma, Alff?" gofynnodd Iori, gan dynnu ar ei sigarét a gollwng y mwg fel rhuban llwyd ar aer y bora. Dechreuodd dagu fel ffŵl wedyn, oedd yn difetha'r llun cŵl roedd yn trio'i greu!

"Na, o'n i'n iawn! 'Di codi cyn y larwm!"

"Fel'na o'n inna – ar y dechra! Watsia di fis i mewn i'r job, pan fydd y tywydd yn oer a'r gwely'n gynnas!" medda Iori, efo rhyw wên ar ei wyneb.

"Eith hon yn ffastach, Ior?" medda fi ar ôl chydig o ddistawrwydd.

"Ffastach? I be faswn i isio mynd yn gyflym a llond y cefn o boteli llefrith? Y lemon!" medda Iori, a rhyw wenu eto, a'r ffag yn hongian fel tafod fach wen ar ochr ei geg, ac yn symud wrth iddo siarad.

"O, ia!" meddwn i, a thrio peidio ochneidio.

Ymhen dim, roedd y fan wedi stopio a Iori wedi neidio i lawr o'i sêt a cherddded rownd y cefn. Arhosais lle ro'n i.

"Wel?" gofynnodd Iori. "Ti am symud 'ta be?"

"O, sori!" medda fi, a neidio i lawr i ymuno efo Iori.

Rhoddodd ddwy botel lefrith yn fy nwylo.

"Nymbar 7," medda fo, a phwyntio â'i ben i gyfeiriad un o'r tai.

"Tsiampion!" medda fi, a mynd i fyny'r llwybr bach at ddrws mawr coch efo 7 yn glir arno. Rhoddais y ddwy botel lefrith ar y stepan drws.

Wrth droi 'nôl, roedd Iori'n disgwyl amdana i ar waelod y llwybr.

"Dos yn ôl a rhoi'r ddwy botel lefrith ar ochr y stepan. Ne fydd pobol wedi rhoi cic iddyn nhw wrth agor y drws!"

"Siriys?" medda fi.

"Siriys!" medda Iori, heb wenu.

Dyma fynd yn ôl i fyny'r llwybr eto a symud y ddwy botel lefrith o'r canol i'r ochr, a mynd 'nôl at Iori.

"Iawn?" medda fi, yn edrych mlaen yn barod at gael mynd 'nôl at fy sêt yn y fan. At hynny, roedd fy mol yn dechra canu grwndi o fod heb gael brecwast.

"Nac 'di!" medda Iori. "Rho nhw'r ochr arall!"

"Ffyni!" medda fi, gan ddechra cerdded am y fan. Tynnu 'nghoes i oedd Iori, y diawl iddo fo!

"Dwi o ddifri, Alff!" medda Iori, ac roedd rhwbath yn ei lais oedd yn deud wrtha i ei fod o ddifri, os ti'n dallt be dwi'n feddwl!

"Meddylia am y peth!" medda Iori ar ôl i mi gyrraedd yn ôl ato. "Os ydy'r drws yn agor allan i'r dde, ac rwyt ti'n rhoi'r llefrith ar y dde, yna bydd y drws yn cnocio'r llefrith i lawr! A'r ffordd arall rownd…"

"Ond be os ydy'r drws yn agor am i mewn? Be wedyn?"

"'Di o'm ots wedyn, nac 'di? Y drong!" medda Iori, ond roedd yn amlwg 'mod i wedi ei ddal o allan! 'Ta fo oedd wedi nal i allan, tybed?

Roedd y bora'n mynd yn dda!

8
CIWPID A FI!

Aeth y rownd lefrith gynta yn iawn, heblaw am ambell beth roedd Iori yn ei ddeud er mwyn gneud i mi gofio mai fo oedd y bòs. Ond chwara teg i Iori am roi cyfle i mi o gwbwl, 'de?

Ar y ffordd yn ôl, stopiodd Iori'r fan lefrith ryw ddwy stryd oddi wrth lle ro'n i'n byw er mwyn i mi fedru cerdded o fan'no. Roedd mwy o bobol o gwmpas erbyn hyn. Roedd o'n dallt yn iawn pam 'mod i ddim isio i Dad wbod eto.

"Lwc wael – dy dad, 'lly!" meddai Iori.

Oedd pawb yn y byd yn gwbod bod Dad 'di colli ei waith yn Peebles?!

"Fydd o'n iawn. Geith o waith arall!" medda fi, gan feddwl tybed pam nad oedd Iori wedi cytuno yn syth.

"'Run lle, 'run amsar bora fory, Alffi boooooi?" medda Iori pan oeddan ni'n ffarwelio, gan syllu yn y drych bach ar y fan a rhoi ei sbectol haul yn ôl ar ei drwyn wrth neud.

"Be, dwi 'di ca'l y job?" gofynnais a gwên fawr ar fy wyneb.

"Swnio felly dydi, Einstein?" medda Iori. "Iawn, boi?"

"Iawn, grêt, boi!" medda finna yn ôl yr un mor joli, ond bod fy nhu mewn i'n dechra crynu braidd. Isio bwyd o'n i ma'n siŵr.

★

Wyt ti rioed wedi teimlo fel lleidr yn dy dŷ dy hun? Dyna'n union oedd y teimlad ges i wrth i mi roi'r goriad yn y clo ac agor y drws yn ddistaw ddistaw. Sefais yn stond, a gwrando. Roedd y tŷ yn hollol ddistaw o hyd, heblaw am sŵn chwyrnu o lofft Dad. Edrychais ar fy wats. Doedd dim rhyfedd! Dim ond saith o'r gloch oedd hi o hyd.

Os oedd mynd i fyny'r grisiau yn ofalus ofalus gan oedi uwch pob cam yn deimlad od, roedd llithro i mewn o dan y dwfe a chau fy llygaid yn deimlad… hollol blincin ffantastig! Buan iawn wnes i gynhesu, ac o fewn dim, ro'n i'n syrthio i gysgu, ac yn breuddwydio am Medi Clarke yn eistedd drws nesa efo fi ar fflôt lefrith Iori, ac yn gwenu arna i mewn ffordd hollol gorjys…

★

Roedd y bws ysgol yn teimlo'n od ar ôl bod yn fan lefrith Iori Iog. Doedd Medi Clarke ddim ar y bws ar y ffordd i'r ysgol. Ond ro'n i'n eitha balch a deud y gwir. Do'n i ddim yn y mŵd i fflyrtio na bod yn secsi efo neb bora 'ma. Roedd cefn fy nghoesau i'n lladd, a chur mawr wedi dechra yn fy mhen am 'mod i wedi deffro'n rhy gynnar. Arna i oedd y bai am aros i weld y ffwtbol tan wedi deg neithiwr. Mi fydd rhaid i mi gael gwell trefn ar bethau o hyn ymlaen.

Roedd Caio'n gwenu fel giât pan 'nes i ei gyfarfod o a Sara y tu allan i'r Bloc Celf, fel 'dan ni'n arfer neud.

"Wel?" meddai, a'i lygaid yn disgleirio.

"Ydy o'n wir?" medda Sara hefyd, ac roedd hitha'n edrych yn hapus.

"Do, dwi wedi dechra efo Iori, ac yndi, mae o'n grêt!"

Disgynnodd wynebau'r ddau am eiliad.

"Dim hynny oeddan ni'n..." dechreuodd Sara.

"Ti'm yn deud 'tha fi bo chdi ddim yn..." medda Caio, gan edrych arna i, ac yna'n ôl ar Sara. Dechreuodd y ddau chwerthin. A dechreuais inna fynd yn flin.

"Dach chi'ch dau'n mynd i stopio byhafio fel *prize idiots*, a deud wrtha i be sy'n bod?" medda fi, gan deimlo 'mod i eiliada o gerdded i ffwrdd. Do'n i ddim mewn hwylia i gymryd llawer o lol heddiw, dim a'r cnocio yn fy mhen yn dechra mynd yn uwch, a 'nghoesau'n dal i'n lladd i. Os oeddwn i'n teimlo fel hyn ar ôl un bora o godi'n gynnar, sut fyddwn i ymhen misoedd?

"Medi!" medda Caio o'r diwedd, a dal i wenu.

"Be amdani?"

"Ma hi'n ffansïo chdi! Ma hi 'di deud wrth Branwen Huws, ac ma honno 'di deud wrth Sara. Do, Sar?"

Nodiodd Sara, ac roedd honno'n dal i wenu fel peth gwirion hefyd.

"Deud ei bod hi'n meddwl bo chdi'n ciwt ac yn ddoniol!" Ac yna ychwanegodd, "Doniol mewn ffordd dda, 'lly, dim doniol fatha rhyfadd…"

"Go iawn?" medda fi ar ei thraws.

Ac yn sydyn fe ddiflannodd y cur yn fy mhen, ac mi ddiflannodd y boen yn fy nghoesa. Ac ro'n i'n hedfan!

"Wir yr!"

Dwi'n nabod Sara a Caio'n ddigon da i wbod ydyn nhw'n tynnu fy nghoes i ne beidio. A dwi'n gwbod hefyd na fasan nhw'n ddigon cas i dynnu fy nghoes i am rwbath mor bwysig â hyn, dim a finna wedi bod MEWN CARIAD efo Medi ers i mi ei gweld hi gynta.

"Reit, dewch mla'n nawr, fechgyn, ne bydd y wers wedi cwpla cyn i ni ddechre!"

Jôs Jocstrap oedd yn siarad, ein hathro ymarfer corff oedd hefyd yn byw, bwyta, cysgu rygbi. O ardal Llanelli yn y de roedd o'n dwad. Ella fod pawb 'run fath â fo yn fan'no? Dwn i'm. Doedd o a fi ddim yn gweld llygad yn lygad. Pêl-droed ydy fy gêm i, wedi bod rioed. Rŵan, paid â cham-ddallt; dwi wrth fy modd yn sbio ar bobol eraill yn chwara rygbi, a does 'na neb yn gweiddi'n uwch na fi o flaen y teledu pan mae tîm Cymru yn chwara ym

Mhencampwriaeth y Chwe Gwlad. Mae Nain Bach a fi yn cwffio am pwy sy'n cael y sêt ora bob tro! (Fel arfer mae Dad a Gorila'n mynd lawr i'r Clwb Rygbi er mwyn i Dad gael peint.)

Mae gen i grys rygbi, sgarff rygbi, het rygbi. Ond am chwara rygbi? Dwi'n dda i ddim. Dwn i'm pam, ond nid fy syniad i o hwyl ydy cael fy llusgo drwy'r mwd a chael fy nhynnu i bob cyfeiriad jest am 'mod i'n dal y bêl. A 'di o'm yn gneud lot i'm steil gwallt i, cred ti fi! Ma gan Alffi Jones ddelwedd i'w gwarchod, does?

"Alffi, ti'n grondo arna i, gwêd?" medda Jocstrap.

"Ym... yndw... syr. Ym... iawn," medda fi, er nad oedd gen i unrhyw obadeia be oedd y boi newydd ddeud.

"Siapa hi, 'de! A'r gweddill 'noch chi, 'fyd. Fydda i mas ar y cae."

"Siŵr fod hwnna wrth ei fodd pan ma hi'n bwrw glaw ac yn chwythu!" medda Caio'n flin, a swnio braidd fel rhyw hen nain.

"Ti'n swnio fel rhyw hen nain, Caio!" medda fi. Doedd dim byd yn mynd i fedru gneud i mi deimlo'n ddigalon heddiw. Ro'n i 'di landio job fy mreuddwydion yn un peth! (Wel, ocê, ella nad gweithio ar rownd lefrith Iori Iog oedd job fy mreuddwydion, ond roedd o'n ffordd o dalu am y trip Paris, doedd?!) Ac yn well na dim, ro'n i wedi cael y newyddion ffantastig am Medi yn fy ffansïo fi!

O'r diwedd, roedd pawb wedi dod allan o'r stafelloedd newid oedd yn drewi o ogla chwys a thraed drewllyd, ac yn sefyll ar y cae. Roedd hi wedi dechra bwrw glaw go iawn, a'r cae yn prysur droi yn fôr o fwd afiach.

"Reit… ni'n mynd i marfer taclo heddi, bois!" medda Jocstrap, a dyma pawb ohonan ni'n griddfan fel un côr.

"Allwch chi byth ennill gêm rygbi heb wbod shwt i daclo'r gwrthwynebydd…" medda fo, fel tiwn gron. "Os chi mo'yn galler ca'l meddiant 'nôl ar y bêl…"

Bla bla bla!

Ro'n i wedi clywed y sbîl yma gan Jocstrap sawl gwaith ers Blwyddyn 7, a bron iawn na fyddwn i'n medru ei adrodd efo fo.

Dechreuodd fy meddwl grwydro at… Medi Clarke! Pryd oedd yr hogan ddela welish i rioed wedi penderfynu ei bod hitha'n fy ffansïo i hefyd? Be o'dd hi wedi'i ddeud, a sut o'dd hi wedi'i ddeud o? Be fydda'r cam nesa? Roedd yn beth da ei bod hi'n absennol o'r ysgol heddiw, ella, er mwyn i mi gael cyfle i feddwl am y tic-tacs nesa! A do'n i ddim isio iddi hi 'ngweld i'n cerdded fel tasa gen i ddwy goes bren, nag oeddwn? Fasa hynny ddim yn rhywiol iawn, na fasa? Rhag ofn iddi ailfeddwl amdana i!

Ia, y peth i neud fydda trio cael cyfle i gael gair bach distaw efo Medi unwaith roedd hi'n ôl yn yr ysgol. Doedd hynny ddim yn mynd i fod mor hawdd ag oedd o'n swnio. Roedd hi wastad yng nghanol criw swnllyd o ffrindia. Doedd hi byth ar ei phen ei hun, bron, gan ei bod hi mor boblogaidd. A do'n i ddim isio edrych fel ploncar, nag oeddwn, a thrio gwthio i mewn a thynnu sylw ataf i fy hun a chodi cywilydd arni hi a fi 'run pryd. Rhyw dacteg ro'n i angen, rhyw ffordd o fedru…

Deffrais o fy mreuddwyd efo sŵn chwerthin. Edrychais o 'nghwmpas yn syn. Roedd pawb yn sbio arna i ac yn chwerthin. Ac i neud petha'n waeth, roedd pawb arall yn sefyll mewn llinell y tu ôl i mi, a finna'n sefyll fel ffŵl yn wynebu Jôs Jocstrap.

"Diolch, Alffi, am gynnig dy hun fel y bag tacl. Dewr iawn!" medda Jocstrap, a rhyw hen wên sbeitlyd ar ei wyneb. Dechreuodd pawb chwerthin eto.

A dyma fi'n dallt. Fel arfer, roedd Jocstrap yn deud wrth bwy bynnag oedd isio cynnig ei hun fel bag tacl gymeryd cam ymlaen. Syniad y bag tacl oedd eich bod yn sefyll yn llonydd fel bag mawr, a phawb yn rhuthro ac yn trio'ch taclo. Doedd o ddim yn brofiad neis! A deud y gwir, roedd o'n brofiad uffernol!

Dyna pam roedd pawb am y cynta i gymeryd cam yn ôl pan oedd Jocstrap yn gofyn i rywun gynnig ei hun. Yr olaf i symud yn ôl fydda'r un oedd yn cael ei landio fel 'bag tacl' y sesiwn hyfforddi honno.

Fi oedd yr ola i symud yn ôl heddiw. A deud y gwir, do'n i ddim wedi trio symud yn ôl o gwbwl gan fod fy mhen yn y cymyla yn meddwl am Medi Clarke a fi ym Mharis!

"*Nice one*, Alffi!" gwaeddodd rhywun o'r iard. Edrychais i gyfeiriad y llais a suddodd fy nghalon wrth weld Wayne Wirion yn gwenu'n sbeitlyd wrth basio heibio ar ei ffordd i'r toiled ne rwla rhwng gwersi.

Damia! Trystia fo i 'ngweld i! Doedd heddiw ddim yn mynd i fod yn hollol berffaith wedi'r cwbwl!

9
HWYL A HELYNT!

Cofio fi'n deud 'mod i wedi deffro cyn y larwm ar fora cynta'r rownd efo Iori? A 'mod i wedi sboncio allan o'r gwely yn llawn egni?

Wel, doedd yr ail ddiwrnod ddim cystal. A deud y gwir, pan ganodd y larwm ar yr ail fora, cymerais mor hir i'w ateb nes iddo droi ei hun i ffwrdd a sylcio! A hynny ddeffrodd fi! Gwrandewais yn astud am unrhyw sŵn o weddill y tŷ. Dim byd, diolch byth. Mi fydda'n rhaid i mi fod yn ofalus i beidio gadael i hynna ddigwydd eto, ne mi fydda Dad ne Gorila'n siŵr o glywed a'r joban ar ben cyn iddi hyd yn oed ddechra'n iawn.

Ar y ffordd allan drwy'r drws, gafaelais mewn banana i roi digon o sbarc ac egni i mi ar y rownd tan i mi gael brecwast efo pawb yn nes mlaen. Ro'n i'n dechra dallt y job 'ma, meddyliais yn fodlon wrth i mi neidio i mewn i'r fan lefrith drws nesa i Iori.

Aeth y rownd lefrith yn iawn yr ail dro. Roedd Iori Iog yn gwmni da, ond fod o'n un sobor o wael am ddeud jôcs:

"Noc noc," medda fo, pan oeddan ni'n nesáu at ddiwedd ein rownd.

"E?" medda fi. Do'n i'm 'di clywed jôc noc noc ers oes pys, er bo ni'n deud nhw drw'r amsar yn ysgol bach.

"Noc, noc, 'de'r drong! Jôc!" medda Iori, ac edrych bach yn siomedig dwi'n meddwl, er ei bod yn anodd deud yn iawn tu ôl i'r sbectol haul.

"Wellti!"

Suddodd fy nghalon.

"Wellti pwy?"

"Well ti brynu cloch drws, ma 'nwrn i'n brifo!" medda Iori, a dechra chwerthin nes fod y fan yn ysgwyd o ochr i ochr.

"Iori, o'dd honna'n rybish!"

Atebodd Iori mohona i, dim ond dal i chwerthin! Daeth y syniad gwallgo i 'mhen mai'r unig reswm roedd Iori Iog isio help ar ei rownd oedd er mwyn iddo fo fedru deud ei jôcs pathetig. A fi oedd y dioddefwr anlwcus! Roedd hi'n bryd i Alffi daro'n ôl!

"Gen i un i chdi, 'ta," medda fi.

"Noc noc?" gofynnodd Iori, yn lot rhy eiddgar i rywun o'i oed o, a deud y gwir.

"Naci. Yli, be ti'n galw dyn llefrith o'r Eidal?"

"E? Dwn i'm, be ti'n galw dyn llefrith o'r Eidal?" medda Iori yn ufudd, a sbio arna i yn fwy nag oedd o'n sbio ar y lôn.

"Toni."

"Toni be?"

"Toni Torripoteli!"

Aeth pob man yn ddistaw am eiliad, dim ond sŵn swishian y fan wrth iddi hi lithro ar hyd y stryd. Ac yna dechreuodd Iori chwerthin. Chwerthin cymaint fel 'mod i'n meddwl ei fod o'n mynd i orfod stopio'r fan a mynd i wagio tu ôl i'r gwrych.

"Toni Torripoteli...Torri...Ha ha ha ha!" medda fo.

Ac roedd o'n dal i chwerthin ac ysgwyd ei ben wrth iddo arafu'r fan a dod â hi i stop. Roeddan ni wedi aros mewn stryd do'n i ddim yn gyfarwydd â hi, er 'mod i wedi pasio heibio iddi sawl gwaith ar y bws ysgol. Stryd y Bryn oedd ei henw.

"Iawn. Lle ti isio i mi neud? Ochr chwith 'ta dde? Sgin ti'r rhestr?"

Roedd Iori'n drefnus iawn. I fy helpu, roedd o wedi gneud llun o bob stryd roeddan ni'n ymweld â hi ac wedi sgwennu be oedd pawb yn ei gael drws nesa i rif y tŷ.

"Sgin i'm un ar gyfer yr ochr dde, dim ond yr ochr chwith, Iori!"

"Gwbod! 'Ŵan, ty'd!"

Stryd y Bryn

5	2 beint
7	1 peint Sudd oren
9	1 peint 4 iogwrt
11	3 peint 2 sudd oren
13	1 peint
15	2 beint 6 iogwrt

"Ond pam ma hynny?" gofynnais.

"Be ti'n feddwl "pam"?" medda Iori yn ôl.

"Wel..." Do'n i ddim yn dallt hyn! Pam oedd Iori wedi gadael ochr dde'r stryd allan yn gyfan gwbwl?

"Sa neb isio llefrith ar ochr dde'r stryd, Iori?" medda fi, gan drio 'ngora i ddallt.

"Fi sy bob tro yn gneud ochr dde'r stryd yma, boooooi! Dallt? Paid ti â phoeni am hynny. Iawn? Gen i jôc arall i chdi, pan ddoi di'n ôl."

"Cŵl, Iori," medda fi, gan feddwl ei fod o braidd yn od ond dyna fo. Iori oedd yn talu fy nghyflog i, wedyn dim fy lle i oedd cwyno, naci?

*

Wedi llithro yn ôl dan y dwfe cynnes ar ôl gneud fy rownd, dyma fi hefyd yn llithro yn ôl i gysgu – a hynny'n drwm!

Y peth nesa glywish i oedd llais Nain Bach yn swnio'n debyg iawn i drên oedd yn meddwl mai twnnel oedd fy nghlust i! Ma raid ei bod hi wedi blino galw a galw arna i o lawr grisia, ac wedi gorfod dwad i fyny i'm stafell i rhag ofn i Dad amau fod rhwbath o'i le.

"Alffiiii!" meddai Nain Bach yn fy nghlust. "Ti isio colli'r bws? Ma hi bron yn chwarter i wyth!"

"Be? Chwarter i?"

Welist ti rioed neb yn symud yn gynt! Mi fasa Jôs Jocstrap yn uffernol o prowd ohona i!

Doedd 'na'm golwg o Dad amsar brecwast. Ond roedd Gafin yno fel y gorila mawr ag oedd o. Gafin Mwnc roedd pawb yn ei alw fo pan oedd o'n hogyn bach, achos roedd o'n dringo i ben pob dim ac yn gena bach drwg. Roedd Gafin Gorila yn well enw iddo fo erbyn hyn, achos roedd o wedi troi'n hen beth llonydd blin ers troi tua pymtheg oed. Ac ers dechra yng Ngholeg Alaw, roedd o wedi mynd yn waeth!

Eisteddai wrth y bwrdd yn wynebu'r drws wrth i mi ddwad drwyddo. Syllodd yn hyll arna i, fel taswn i wedi dwyn ei blwmin frecwast o!

"Iawn, Gaf?" medda fi'n reit glên. Doedd gen i'm mynadd tynnu'r boi yn fy mhen, heddiw o bob diwrnod. Ro'n i wedi gneud dwy awr o waith yn barod, cyn i'r lembo yma godi o'i wely.

"Lle *ti* 'di bod, mor pyrci?" gofynnodd Gav, a sgyrnygu'n waeth fyth arna i wrth siarad.

"Nunlla! Yn y *land of nod*, 'de, boi!" medda fi, ac ro'n i'n gwbod 'mod i'n hwylio braidd yn agos i'r gwynt. "'Nei di basio'r cornfflêcs i mi, plis, Gaf?"

"Pasia nhw dy hun!" medda Gafin, a gwthiodd ei gadair yn ôl oddi wrth y bwrdd fel ei bod yn gneud sŵn erchyll ar hyd y teils. Aeth â'i bowlen at y sinc a'i adael yno efo sŵn mawr. Doedd o byth yn llnau ar ei ôl, dim ond disgwyl i rywun arall neud drosto fo. Fel arfer mi fydda Mam yn ei roi yn ei le. A Nain Bach ers i Mam fynd. Ond yn ddiweddar, roedd meddwl Nain Bach fel tasa fo ar betha eraill.

Wrth fy mhasio i fynd allan o'r stafell, yn lle fy mhwnio ne wthio i mewn i mi ar bwrpas fel fyddai'n arfer ei neud, oedodd Gafin wrth fy ymyl. Daeth â'i geg yn agos iawn at fy nghlust i, a sibrwd,

"Dwi'n cadw llygad arna chdi, mêt! Dallt?"

"Be ti'n falu, d'wad?" medda fi, a chario mlaen i fwyta fy mrecwast. Ond roedd geiriau Gafin wedi aflonyddu braidd arna i. Be oedd y lwmp yn feddwl wrth hynna, tybed?

Tynnodd Nain Bach y sêt nesa ata i wrth y bwrdd, ac eistedd arni hi! Roedd golwg flinedig arni, fel tasa hitha wedi bod ar ei thraed ers pump o'r gloch y bora!

"A sut ma petha efo chdi, Alffi?" medda hi, a gwenu. "Rhyw lwc yn chwilio am joban?"

"Wel, do, a deud y gwir. Dwi 'di cael un!"

"Do, washi? Yn lle?" gofynnodd, a rhoi gwên o'n i'm 'di gweld ganddi ers tro byd.

"Efo Iori ar ei rownd lefrith," medda fi, a rhawio llond llwy o greision ŷd i mewn i 'ngheg.

Ro'n i wedi disgwyl i Nain Bach lonni drwyddi o glywed y newyddion da, ond wnaeth hi ddim. A deud y gwir, daeth cwmwl dros ei hwyneb. Diflannodd y wên o'n i'm 'di gweld ers tro byd.

"Iori?!" meddai. "Pryd ti fod i gychwyn efo fo?"

"Dwi 'di dechra'n barod! Hwn oedd yr ail fora i mi neud!" medda fi, gan ddal i drio swnio'n joli.

"O, Alffi, pam 'sat ti'n deud wrtha i, d'wad?!" medda Nain yn siarp, a'i llais yn graciau i gyd.

"Isio gweld o'n i'n licio'r job gynta!" medda fi, a theimlo'n fwy ansicr am yr holl beth. Do'n i'm yn dallt ymateb Nain o gwbwl!

"Ac... w't ti? Wyt ti'n licio'r job?" gofynnodd Nain.

"Wrth fy modd! Mae'n grêt!" medda finna'n ôl, heb sôn am y drafferth codi a'r ffaith fod fy nghoesa'n brifo. "Ches i fawr o lwc yn nunlla arall, wedyn dwi wrth fy modd!"

Daliodd Nain i edrych arna i, fel tasa hi'n meddwl be i ddeud nesa.

"Ac mi fydda i wedi medru ennill digon i fynd ar y trip Paris mewn dim, bydda?"

"Bydd di'n ofalus efo'r Iori 'na. Ei gadw fo hyd braich, dallt?" oedd yr unig beth ddywedodd Nain mewn ateb.

"Dallt!" atebais, ond roedd hynny ymhell iawn o'r gwir. Do'n i ddim yn dallt o gwbwl pam oedd Nain yn erbyn Iori hefyd, fatha Dad, a'i bod yn flin efo fi am gael joban, nid yn hapus. Roedd oedolion, hyd yn oed Nain Bach, yn medru bod yn anodd weithia!

10
TRAFFERTH MEWN TOILED

Aeth y diwrnod o ddrwg i waeth. Wel, na, tydi hynny ddim yn berffaith wir. Mi aeth petha'n dda, yn dda iawn, i ddechra.

Es i eistedd yn nhu blaen y bws ar y ffordd i'r ysgol, ar y seti oedd yn wynebu i'r ochr fel 'mod i ddim yn gorfod hyd yn oed edrych ar Wayne na'i ddiodda yn cicio cefn y sêt. Do'n i ddim yn licio eistedd yn y seti rheiny fel arfer, ond roeddan nhw'n siwtio'n berffaith heddiw. Ro'n i isio llonydd!

Yna, stopiodd y bws a daeth Medi Clarke ymlaen. Gwenodd yn swil arna i, ac am funud o'n i'n meddwl bod y gorj yn mynd i eistedd wrth fy ymyl i! Ond mynd yn ei blaen wnaeth hi, a finna'n gallu teimlo fy hun yn mynd yn goch fel bitrwt. Peth fel hyn ydy cariad, ma raid, Alff, meddyliais: cochi fel bitrwt a chrynu fel deilen. Grêt!

Aeth Medi i eistedd mewn sêt oedd yn rhoi golygfa dda iawn iddi ohona i, ac ro'n i'n ymwybodol ohoni yn sbio'n swil arna i drwy ei ffrinj yr holl ffordd i'r ysgol.

Ond pan ddaeth y bws i stop ar iard yr ysgol, aeth Medi heibio i mi heb hyd yn oed edrych i'm cyfeiriad.

Mi driais i neud rhyw "Haia, helô" oedd i fod i swnio'n reit *awesome*, ond mi ddaeth y geiriau allan yn un sŵn rhyfedd, fel taswn i wedi anghofio sut i siarad! Dwi'm yn gwbod sut na welodd rhywun fi, achos o'n i'n teimlo'n *Grade A* ploncar.

Grêt! meddyliais. Roedd y berthynas drosodd cyn iddi hyd yn oed ddechra!

Ond wrth i mi ddisgyn oddi ar y bws, roedd Medi yn sefyll ar ei phen ei hun, yn disgwyl amdana i.

"Haia Alffi!" medda hi, a'i llygaid lyfli yn toddi i mewn i'n rhei fi! Do'n i rioed wedi clywed fy enw yn swnio fel'na o'r blaen. (Sori! Ddudish i bo fi mewn cariad, do?)

"Ti isio hongian allan tu ôl i lab Cem amsar cinio?"

"Ym... e.... ym... ia, iawn!" medda fi, gan drio swnio nad oedd ots gen i os oedd o'n digwydd ne beidio. "*Treat 'em mean, keep 'em keen,* Alff!" medda rhyw lais bach yn fy mhen. Ond do'n i ddim isio trin Medi yn wael go iawn, nago'n? Ddim a finna wedi bod yn disgwyl am yr eiliad hon ers oes pys!

"Wela i di yna 'ta? Syth ar ôl cael cinio?" gofynnodd Medi.

"Iawn efo fi, mêt. Wela i di yna," medda fi, a dechra cerdded i ffwrdd oddi wrth hi gan swingio 'mreichia fel rhyw fabŵn hannar call! Caeais fy llygaid mewn embaras wrth gerdded. 'Mêt?' I be ddiawl o'n i isio ei galw hi'n mêt? Mêt oedd y peth ola yn y byd o'n i isio bod efo Medi Clarke, 'de?

"Iawn, Alff?"

Sylweddolais fod Caio wedi dechra cydgerdded efo fi.

"Wel?" meddai eto.

Trois fy mhen i edrych arno, a rhoi'r gora i swingio fy mreichia fel ffŵl.

"Gynnon ni ddêt!"

"Dêt?" medda Caio, yn methu credu ei glustia. "Chdi a Medi?"

"Naci, fi a Wayne Wirion! Ia siŵr, y wombat! Fi a Medi!"

"Cŵl! Pryd a lle?"

"Wel, 'dan ni'n cyfarfod tu ôl i lle Cem amsar cinio. Ma'n ddechra, yndi?" medda finna yn ôl.

Ac yn sydyn, roedd yr haul yn tywynnu a'r byd yn edrych yn blwmin bendigedig!

*

Ac wedyn, digwyddodd busnes y toiled! Naci, nid neud fy musnes yn y toiled dwi'n feddwl! Sut fath o feddwl budur sgin ti? Sôn ydw i am ddigwyddiad yn y toiled wnaeth olygu... wel, mi ddyweda i'r hanes i gyd o'r dechra.

Y toiled ydy'r lle mwya peryg yn yr ysgol i gyd. Ma'r

Prifathro 'di gneud yn siwr fod yna gamerâu CCTV ymhob twll a chornel o'r ysgol lle does 'na'm athro o gwmpas. 'Sa gofyn iddyn nhw fod yn filionêrs i roi CCTV ymhob stafell ddysgu, siŵr, ac athro yno'n barod yn gneud y job iddyn nhw.

Ond mae'r *bogs* yn fater gwahanol, tydyn? Dwi'n gwbod fod ambell ysgol efo camerâu yn y toileda (yn y lle mae pawb yn golchi dwylo a ballu dwi'n feddwl, nid tu mewn, mi fasa hynny'n rhy pyrfi!), ond mi benderfynodd ysgol ni beidio â gneud hynny am ryw reswm. A dyna'r penderfyniad gwaetha wnaethon nhw, os ti'n gofyn i mi.

Dyna pam dwi'n deud mai'r toiled ydy'r lle perycla yn yr ysgol i gyd, achos does neb yn gallu cadw llygad ar unrhyw fwlio na fandaleiddio na dim yn y toileda. Mae o fatha *no man's land*, tir neb, lle ma'r rheola i gyd yn mynd allan drwy'r ffenest. Ne dyna oeddan ni'n feddwl, beth bynnag.

O'n i mewn hwylia da, i ddechra. O'n i'n teimlo 'mod i'n cerdded ar awyr, yn frenin y byd, yn... Wel, ti'n cael y syniad, dwyt?

Ella mai hynny wnaeth i mi benderfynu chwara tric ar Wayne Wirion, er mwyn talu'n ôl iddo am yr holl adega roedd o wedi mynd ar fy nerfa i ar y bws.

Ella 'mod i'n meddwl, mewn rhyw ffordd od, fod lwc ar fy ochr i heddiw, ac na fyddwn i byth yn cael fy nal.

Ella 'mod i'm 'di cael digon o gwsg a ddim yn meddwl yn syth.

Ella.

Beth bynnag oedd y rheswm, mi benderfynais mai talu'r pwyth yn ôl i Wayne oedd y peth gora y medrwn fod wedi ei neud y diwrnod hwnnw. A bois bach, toeddwn i'n anghywir!

Roedd cloch amsar chwara bora newydd ganu, a phawb yn llifo allan o'r drysa i'r iard, achos roedd hi'n ddiwrnod reit braf. Fel arfer, bydd Caio a fi yn mynd at y goeden wrth ymyl giât ffrynt yr ysgol ac yn cyfarfod Sara yno. Dyna sy'n digwydd pob tro, bron iawn. Ond ddim hynny ddigwyddodd heddiw.

Gwelais Wayne yn diflannu i mewn i'r toiled, gan daflu ei fag ar lawr ar y ffordd i mewn. Tynnais lawes siwmper Caio.

"Hei! Be ti'n feddwl ti'n neud, d'wad?" medda hwnnw'n reit bigog.

"Gwatsia a dysga, Caio boi, gwatsia a dysga!" medda fi, fel taswn i'n rhyw gymeriad mewn ffilm.

Dyma fynd i fewn i'r lle cyffredinol lle roedd y sincs. Doedd dim golwg o Wayne nac o neb arall chwaith o ran hynny. Rhoddais fy mys ar fy ngheg rhag i Caio ddechra prepian, fel bydd o weithia.

Yna dyma fi'n pwyntio at fag Wayne ar lawr a chodi bawd ar Caio, oedd yn dal i edrych wedi drysu. Dyma fi'n pwyntio at yr un drws oedd wedi cau yn y rhes

toileda, ac yna 'nôl at y bag. Nodiodd Caio, ond heb edrych fawr callach. Yna, dyma fi'n pwyntio at Caio tro yma, ac yna at y coridor, a gneud siâp sbectol o gwmpas fy llygaid, fel ei fod o'n gwbod 'mod i isio iddo fo gadw llygad am unrhyw un fydda'n pasio. Wrth lwc, mi ddalltodd 'rhen Caio hynny'n syth. Fedri di byth ddeud efo fo.

Reit, ro'n i wedi sortio bod Caio'n *look-out*. Roedd y cam nesa'n dibynnu arna i.

Yn ara bach, ac mor ddistaw ag y medrwn, agorais sip bag Wayne. Roedd y ddau fora diwetha o ddod i mewn i'r tŷ ar flaena 'nhraed o'r rownd lefrith wedi bod o help, meddyliais. Yn ara bach, gan gadw llygad barcud ar Caio rhag ofn iddo fo neud arwydd fod rhywun yn dod, dechreuais chwilota drwy'r bag fel dwi wedi gweld y bobol ar y teledu'n gneud mewn maes awyr.

Roedd 'na grys a siorts rygbi chwyslyd. Pwa! Roeddan nhw'n drewi! Gafaelais ynddyn nhw'n ofalus efo fy mys a bawd, a'u taflu ar y llawr. Roedd yna lyfrau ysgol wedyn, a thun o stwff ogla da, tebyg i *aftershave*. Ma raid fod Wayne yn ffansïo ei hun yn dipyn o styd! Bag dal pensiliau oedd y peth nesa, crib, cwpwl o ffeils.

Edrychais yn ôl ar Caio eto. Roedd ei lygaid fel soseri, ac roedd yn ysgwyd ei ben, ei geg yn gneud siâp NAAA!

Dechreuais deimlo braidd yn annifyr. O'n i'n gneud y peth iawn? Roedd gen i dal amser i gau'r sip, rhoi'r bag yn ôl a'i heglu hi o'r toiled cyn i unrhyw un ddallt fod dim byd wedi digwydd. Ond wedyn dyma gofio am y misoedd, naci'r blynyddoedd o boendod roedd Wayne wedi achosi i mi. Roedd hi'n hen bryd i'r diawl gael teimlo sut beth oedd cael rhywun yn pigo arno fo!

Yn sydyn, daeth sŵn fflyshio o'r toiled lle roedd Wayne. Roedd o'n dwad allan!

Ar frys gwyllt, stwffiais y dillad ymarfer corff drewllyd i gyd yn ôl i mewn i'r bag a diflannu i mewn i'r ciwbicl agosa ata i efo'r bag.

A diolch byth am hynny, achos wrth gau'r drws, gallwn glywed Wayne yn dod allan ac yn cerdded at y sinc.

Be ddyliwn i neud? Feiddiwn i ddim anadlu, bron iawn, rhag ofn i Wayne ddallt 'mod i yno. A'm meddwl ar ras fel Porsche, dyma gael syniad. Penderfynais wasgu i gefn y ciwbicl i guddio, rhwng y pan a'r wal. Wel, be sa chdi 'di neud?

Wrth lwc, do'n i ddim wedi mynd rhy fawr i neud hyn. Ond os sylwi di faint o le sydd rhwng *bog* a wal, fedri di weld nad oedd hwn yn un o'm syniada gora i!

Yn anffodus, wedyn aeth petha'n flêr, yn flêr iawn, a deud y gwir. Gan 'mod i wedi diflannu i'r ciwbicl ar gymaint o frys, ro'n i wedi anghofio cau sip bag Wayne, doeddwn? Ac wedyn, wrth wasgu i'r gornel, roedd y bag wedi troi ar ei ochr, a hanner cynnwys y bag wedi disgyn i'r *bog*. Bag yn y *bog*! Ond doedd hyn ddim yn amser am jôcs. Syllais ar yr *aftershave* yn arnofio fel llong ar wyneb y dŵr.

Gallwn glywed sŵn dŵr y tap yn y sinc, a Wayne yn cynnal sgwrs efo Caio druan, oedd erbyn hyn wedi troi'n biws, ma'n siŵr!

"Lle ma'r collwr bach 'na heddiw, Caio Geg? Dach chi 'di ca'l *lovers' tiff*?" medda Wayne, a chwerthin yn uchel ar ei jôc ei hun, hen sŵn oedd yn atseinio o amgylch y toiled.

"C... cau hi, Wayne!" medda Caio, ac ro'n i'n gwbod o'i lais o fod ei galon o'n mynd fel trên.

"Cau hi medda Caio! *Nice one*!" medda Wayne.

Distawrwydd am funud. Sŵn dŵr y tap yn stopio.

Ac yna, dyma waedd yn dwad gan Wayne, ac yn atseinio dros y stafell fawr, gwaedd yn atseinio oedd yn mynd i newid pob dim!

"Hoi! Lle ma bag fi?!"

11
MEWN TRWBWL!

Dwi'n cofio'n iawn be ddigwyddodd wedyn. A deud y gwir, roedd fy meddwl i'n blwmin niwsans yn ailchwara'r peth yn ôl yn fy mhen i fel clip ar YouTube. Poen yn y tin ydy meddwl rhywun weithia, 'de, yn chwara rhwbath yn ôl pan y cwbwl ti isio neud ydy anghofio'i fod o rioed wedi digwydd.

Sŵn Wayne yn gweiddi oedd y peth cynta, a llais Caio'n trio protestio'i fod o'n gwbod dim am y blincin bag. Dwi'n fêts mawr efo Caio, 'de, ond fedar o'm actio i safio'i fywyd. (Na bywyd neb arall chwaith!) Ac mi faswn i wedi rhoi unrhyw beth i gael Caio yn actio ei hun allan o hyn rŵan, er mwyn i Wayne ei goelio ac iddo fo fynd i chwilio am help gan athro ne fform sics ne rywun.

Ond nid dyna steil Wayne Wirion. Steil Wayne o neud petha oedd i gnocio ar ddrws pob *bog* efo'i ddwrn, fel bod y drws yn fflio'n agored. Chymerodd o ddim yn hir iddo fo gnocio ar y drws lle ro'n i, ac iddo fo fy ffeindio yn sefyll yno, efo hanner cynnwys ei fag ar lawr, a'r gweddill lawr y pan!

Peth da, o edrych yn ôl, oedd fod Huws Ffis wedi

dwad i mewn ar yr eiliad honno a gweld drosto'i hun be oedd wedi digwydd. Tasa Huws Ffis ddim wedi dod i mewn a gweld Wayne yn hofran uwch fy mhen i, a'i ddwrn yn yr awyr yn barod i daro, wel... fedri di neud y stori fach honno drosta chdi dy hun!

Fedrwn i ddim gwadu. Toedd stwff Wayne hyd y lle ymhob man, heb sôn am fod i lawr y toiled? A toedd fy wyneb i, Alffi Jones, yn euog i gyd, yn goch fel tomato? Roedd hi'n hollol blincin amlwg i bawb mai fi oedd wedi gneud.

Y peth nesa oedd fod Wayne a finna'n sefyll y tu allan i stafell y Prifathro, a'n penna at y llawr.

"Ti'n fflipin *dead*, chdi!" medda Wayne, o dan ei wynt, a thaflu golwg fygythiol i'm cyfeiriad.

"Jôc bach o'dd o, Wayne. Chdi 'di bai bo ni'n fan'ma, eniwe!" meddwn, yn swnio'n fwy o foi nag o'n i'n deimlo.

"Fi!" medda Wayne, yn methu credu ei glustia.

"Ia! I be oedda chdi isio gneud sŵn a thynnu sylw?"

"Be...? Ti'n... Fedra i'm... Yli, ti'n fflipin..."

Ond cyn i Wayne fedru gorffen ei sbîl, dyma ddrws y Prifathro'n agor.

Safodd yno am rai eiliada, heb ddeud gair i ddechra, dim ond sbio ar y ddau ohonan ni. Codais fy mhen ac edrych yn ôl arno, a do'n i ddim yn hoffi'r edrychiad yn ei lygaid, dim o gwbwl. Roedd yn gyrru ias i lawr fy asgwrn cefn, a deud y gwir. Ro'n i wedi bod mewn trwbwl o'r blaen, am roi gwaith cartre i mewn yn hwyr, am siarad pan oedd yr athro wedi deud wrtha i am gau 'ngheg, y math yna o beth. Ac ar yr adega hynny, roedd yr athrawon yn deud geiriau fel 'siomedig' a 'mod i'n 'gadael fy hun i lawr' a phetha felly. Fel ma athrawon!

Ond roedd hyn yn wahanol. Ro'n i'n gwbod yn iawn o'r edrychiad yn llygaid y Prifathro fod hyn yn mynd â fi i lefel wahanol o fod yn hogyn drwg. Ac er fod symud i lefel uwch yn rhywbeth ro'n i wrth fy modd yn ei neud mewn gêm PlayStation, do'n i ddim yn licio dringo i'r lefel uwch yma o ddrygioni o gwbwl!

"Ewch i mewn!" medda'r Prif yn swta, a dyna wnaeth Wayne a fi fel dau oen bach.

"Wel, wel. 'Dan ni'n gweld ein gilydd eto, Wayne, yndan? Ail dro tymor yma, dwi'n iawn?"

"Yndach, syr!" medda Wayne gan ddal i edrych ar y llawr wrth siarad.

"Dysgu dim, nag wyt, Wayne, y? Dysgu dim!"

Atebodd Wayne mohono wrth lwc, er ei fod o'n edrych fel tasa fo'n mynd i agor ei geg i ddeud rhwbath am eiliad. Calla dawo, mêt, medda fi wrtha fi fy hun. Ac yna trodd y Prifathro ei sylw ata i.

"Ond dwi'n synnu'n fawr atat ti, Alffi Jones. Synnu'n fawr hefyd. Go iawn, 'ŵan!"

Roedd rhwbath yn y ffordd yr oedd y Prif yn deud y geiria, yn gneud i'n llygaid i ddechra llenwi, mewn ffordd oedd reit *embarrassing*! Damia'r dagra!

"Ti 'di bod yn gneud yn dda yn dy byncia, yr athrawon yn deud bo chdi'n trio dy ora, wedi bod yn ymdrechu'n dda i... wel, i ddod dros unrhyw... broblema."

Tynnodd anadl, ac edrych yn syth ata i, a golwg siomedig go iawn ar ei wyneb o.

"A dyma chdi, rŵan, yn sefyll o 'mlaen i yn fy swyddfa! Be sgin ti i ddeud?"

"S... sori, syr. Fi o'dd bai. Neb arall. Do'dd gan neb arall ddim byd i neud efo fo, dim ond fi."

Daeth y geiria allan fel 'swn i'n deud rhwbath o'n i 'di ddysgu ar fy nghof. Ella 'mod i wedi deud gormod. Ond y peth ola ro'n i isio oedd cael Caio i drwbwl.

"Ro'dd Caio Huws efo fo, syr," medda Wayne. Gallwn fod wedi ei dagu!

"Oedd o?"

"Ym... oedd, ond doedd gan Caio ddim byd i neud efo'r peth, syr. Wir yr rŵan. Sna'm bai ar Caio. Rhaid i chi goelio fi, syr. Fy syniad i oedd o, a neb arall. Fy syniad stiwpid i!"

Gwasgais fy nwrn yn dynn, dynn a gwthio fy ewinedd i mewn i'r croen er mwyn atgoffa fy hun i beidio dechra crio. Ro'dd hyn yn pathetig! Do'n i'm 'di crio ers oes pys, dim ers i Mam fynd. A chrio i mewn i 'nghlustog wnes i'r adeg honno, fel na fydda neb yn fy nghlywed, a neb ddim callach.

Edrychodd y Prifathro arna i am eiliad, yna nodiodd a dechra sgwennu rhwbath ar ddarn o bapur o'i flaen.

"Dwi'n eich cadw chi i mewn amser cinio."

"Diolch, syr!" medda Wayne.

Edrychais yn syn arno. Ond doedd y Prif ddim wedi gorffen!

"Ac amser cinio fory, a'r diwrnod wedyn, ac am weddill yr wythnos. Ydy hynna'n glir?"

"Yndi, syr!" medda'r ddau ohonan ni fel deuawd mewn blincin steddfod!

"Dwi isio chi tu allan i fan'ma, yn syth pan ganith y gloch. Gewch chi fod yr ola i fynd am ginio. Iawn?"

Gwelais lun yn fy mhen o ryw sosej gam, hen tsips brown a ffa pôb yn lympia oer ar ochr y plât.

"Iawn, syr," medda'r ddau ohonan ni eto.

Ond doedd hi ddim yn iawn! Suddodd fy nghalon. Sut o'n i'n mynd i adael i Medi wbod fod ein dêt cynta ni yn mynd i fod yn amhosib? Be fasa hi'n feddwl ohona i rŵan? Un peth oedd bod yn dipyn o gês, yn licio cael hwyl. Peth arall oedd mynd allan efo hogyn oedd yn cael *detention*! A hitha rioed wedi bod mewn trwbwl ei hun!

Ond nid dyna'i diwedd hi.

Ar y ffordd allan, dyma'r Prifathro yn deud wrtha i am aros am eiliad.

Plygodd y Prif ei freichia, eistedd yn ôl yn ei gadair a syllu arna i. O'r diwedd, siaradodd.

"Dwi'n dallt bo chdi 'di rhoi dy enw i fynd ar y trip i Baris, Alffi!"

"Do, syr!" meddwn, a 'mol i'n dechra crynu fel jeli.

"Mae 'na farc cwestiwn enfawr uwchben hynny rŵan, toes?" medda'r Prif. "Marc cwestiwn mawr iawn. Ti'n dallt be dwi'n deud wrthat ti?"

Nodio oedd yr unig beth y gallwn ei neud. Taswn i wedi agor fy ngheg i siarad, dwi'n meddwl y bydda fy llais gwichlyd wedi dod yn ei ôl.

Alffi, ti'n bloncar, oedd yr unig eiria oedd yn troi a throsi yn fy mhen wrth i mi gerdded ar hyd y coridor gwag ar gyfer fy ngwers nesa.

Chefais i ddim cyfle i siarad efo Medi wedyn, i egluro. Doedd y ddau ohonan ni ddim yn yr un wers efo'n gilydd ar ôl i mi fod efo'r Prifathro, ac wedyn roedd yn rhaid i mi a Wayne fynd tu allan i'w ystafell yn syth ar ôl i'r gloch ganu amsar cinio. Roedd hi wedi gorfod cael clywed gan y lleill be oedd wedi digwydd. Doedd gen i ddim gwersi efo hi yn y pnawn, chwaith, gan ei bod hi'n cael Technoleg ym mhen arall yr ysgol. Doedd gen i mo'i rhif ffôn hi er mwyn gallu gyrru neges testun i ddeud sori. Dim byd!

Roedd hi ar ben arnon ni cyn i bethau hyd yn oed ddechra!

12
Y ROWND O UFFERN!

Brrrrrrrrrrrrriiiiiiiiiiiiiing!

Damia'r cloc larwm. Doedd hi rioed yn bump o'r gloch y bora'n barod!

Ochneidiais. Oedd unrhyw bwynt i mi gario mlaen efo'r joban yma efo Iori Iog? Oedd yna bwynt i mi drio safio pres er mwyn medru talu am y trip i Baris? Trip na fyddai hwyrach yn digwydd i mi rŵan beth bynnag, ar ôl yr helynt yn y *bog*. Marc cwestiwn ddywedodd y Prifathro, 'te? Ro'n i wedi troi a throsi neithiwr, yn methu cysgu. A phan wnes i gysgu, roedd cwmwl mawr siâp marc cwestiwn yn hofran uwch fy mhen yn y freuddwyd, beth bynnag o'n i'n neud! Toedd dim rhaid bod yn jiniys i weithio honno allan, nag oedd?

Ro'n i wedi gweithio dau fora i Iori. Os na fyddwn i'n cario mlaen am chydig, o leia, fydda 'na ddim hôps i mi gael fy nhalu am hynny gan Iori, oedd yn golygu 'mod i wedi gweithio am ddim i'r boi. Fi fasa'r collwr felly, 'te? Neb arall. Roedd yn rhaid i mi gario mlaen, am chydig, o leia. Ac a deud y gwir (heblaw am y codi cynnar) ro'n i'n eitha mwynhau'r gwaith. Roedd rhwbath braf iawn am y teimlad o lithro yn y fan i lawr y strydoedd gwag pan oedd gweddill y byd yn cysgu.

Felly neidiais i mewn i'r jîns oedd wedi cael eu taflu ar y llawr wrth ymyl y gwely. Crys, jympyr gynnas, het, côt a ffôn. A dyna ni. Dyma fynd ar flaena 'nhraed i lawr y grisiau, gafael mewn banana o'r bowlen ffrwythau ar y bwrdd bach a throi 'nôl am y drws ffrynt. Ro'n i bron iawn â chyrraedd pan... A! Teimlais law yn gafael yn fy ysgwydd. Trois fy mhen a gweld Gafin yn sbio i lawr arna i, rhyw hen wên sbeitlyd ar ei wefusa.

"Alffi booooi! Ti 'di ca'l copsan, do?" medda fo, yn amlwg wrth ei fodd ei fod o wedi medru fy nal i'n gneud rhwbath do'n i'm isio i neb arall wbod amdano fo.

"Dos i grafu, crinc!" medda fi, gan swnio'n fwy o foi nag o'n i'n deimlo.

Yna dyma Gafin yn gafael yng nghefn fy nghôt a'n llusgo fi'n ôl oddi wrth y drws.

"Tydi hynna'm yn beth neis i ddeud wrth dy frawd mawr, nac'di?" medda Gafin, mewn rhyw hen lais rhyfedd, fel tasa fo mewn rhaglen cops ar y teledu.

"Gad fi fynd, 'ta!" medda fi, a meddwl ella sa'n well i mi beidio â bod yn rhy annifyr efo fo, achos dim ond fo a fi oedd o gwmpas, a doedd Nain Bach na neb yno i achub fy ngham i.

"Ti'n meddwl bo fi'm yn gwbod lle ti'n mynd, Alff?" medda Gafin eto, a'r wên sbeitlyd wedi diflannu rŵan. Do'n i ddim yn siŵr ai peth da 'ta peth drwg oedd hynny! "At Iori a'i fan lefrith! Be sa Dad yn neud sa fo'n gwbod, e? Ti'n gwbod fod o methu diodda'r boi!"

"Jest paid â busnesu!" medda fi, ac ysgwyd fy hun yn rhydd o'i afael. Daeth rhyw gysgod o wên ar draws hen wep hyll Gafin ac, am eiliad, dechreuais deimlo'n well. Am eiliad ddudish i, 'de. Tan iddo fo siarad eto.

"Ond mi gostith i chdi!" meddai, ac roedd o'n dal i wenu.

"Ti'n gall?"

"Be ddudan ni, 50/50? Am beidio deud? Hynna'n deg, dydi?"

"Ti off dy nyt! Ti'm yn..."

Ond cyn i mi orffen siarad dyma Gafin yn troi ar ei sawdl am waelod y grisia.

"Bechod, 'fyd. Fydd Dad yn reit siomedig bo chdi 'di bod yn cadw petha oddi wrtho fo, Alff, bydd?"

Rasiodd fy meddwl. Y peth ola ro'n i isio i Dad neud oedd teimlo 'mod i wedi bod yn ei dwyllo. Roedd o'n cael amser digon caled fel oedd hi. Ac a bod yn onest, a finna mewn trwbwl yn barod am y jôc ar Wayne yn y toiled, do'n i ddim isio neidio'n bellach byth i mewn i'r cac, nag o'n?

Dwi'n gwbod bod Nain Bach yn gwbod yn barod, ond do'n i ddim isio iddi hitha fynd i drwbwl am gadw petha oddi wrth Dad chwaith. Chwara hi'n cŵl, Alffi boi, meddyliais, chwara hi'n cŵl!

"Iawn!" gwaeddais.

"Y?" medda'r Gorila, a throi i edrych arna i.

"Gei di chydig o'r cyflog... Y munud ga i 'nhalu gan Iori, gei di beth, iawn?"

A chyn i ni fedru trafod ymhellach, dyma fi'n agor y drws a diflannu drwyddo.

Am unwaith, roedd Iori'n aros amdana i tu allan i'r fan, ac yn hopian o un droed i'r llall. Roedd golwg nerfus arno.

"Lle ti 'di bod?" medda fo'n reit flin efo fi, gan gnoi ei wefus ar ôl deud. "Ti dal isio'r job 'ma 'ta be?!"

"Sori Iori, na'th..." ac yna dyma fi'n ailfeddwl am ddeud yr hanes am Gafin. Doedd Iori ddim yn gwbod 'mod i heb ddeud wrth Dad eto, felly byddai'n well i mi gau fy ngheg rhag ofn i mi adael y gath o'r cwd.

"Ges i fy nal yn ôl – cloc larwm 'di malu!" medda fi, a neidio i mewn wrth ei ochr yn y fan rhag iddo fo holi ymhellach. Ro'n i'n dechra mynd yn giamstar ar ddeud celwydd! Ond do'n i ddim yn prowd ohona i fy hun, coelia di fi. Roedd o'n hen deimlad reit annifyr yng ngwaelod fy mol, a deud y gwir.

"Ia, wel, pryna gloc larwm newydd efo dy gyflog cynta 'ta!" medda Iori, a doedd o ddim yn tynnu coes achos doedd na'm gwên ar ei wyneb o gwbwl.

Roedd clywed am y cyflog yn gneud i mi deimlo chydig yn well, felly penderfynais beidio ateb yn ôl. Daeth Iori i eistedd yn sêt y gyrrwr, a dechreuodd y fan lithro'n araf i lawr y stryd. Roedd Iori'n ddistaw, yn rhyfedd o ddistaw, ond wnes i ddim meddwl llawer am y peth. Mae'n rhaid ei fod o dal yn flin efo fi am fod chydig funuda'n hwyr.

Aeth y rownd yn ei blaen fel arfer. Ro'n i'n dechra dallt y dalltings, fel ma Nain Bach yn ei ddeud. Roedd pobol yn cymryd yr un nifer o boteli o lefrith pob dydd fel arfer, ac anaml iawn y bydden nhw'n gofyn am iogwrt na hufen na dim byd arall. Weithia mi fydda nodyn bach mewn potel yn deud nad oedd angen llefrith dros y penwythnos os oeddan nhw am fod i ffwrdd. Weithia, roeddan nhw isio mwy o boteli.

Yna, dyma ni'n cyrraedd Stryd y Bryn lle roedd Iori wedi deud ei fod o'n mynd â llefrith i'r ochr dde a finna i'r ochr chwith.

Y tro yma, aeth Iori i ben y stryd, yn wahanol i'r tro o'r blaen. Diffoddodd yr injan ac eisteddodd am eiliad gan edrych o'i gwmpas fel iâr, yn nerfus i gyd.

"Ochr chwith i mi, ia, Iog?" medda fi, er mwyn iddo gael gweld 'mod i'n cofio'n dda ac yn ddysgwr sydyn.

"Sssh! Cau dy geg am funud 'nei di?" medda fo, yn sydyn fel bwled.

"Iawn, 'mond gof..."

"Wel paid â gofyn!" medda Iori eto, a sylwais fod ei wyneb yn wyn, fel tasa fo'n sâl. Hynny, ne fod arno ofn drwy'i din am rwbath.

Eisteddodd y ddau ohonan ni heb ddeud 'run gair

am rai munuda, ac mi fasa fo wedi bod yn ddoniol, heblaw… Wel, do'n i ddim yn teimlo mai rŵan oedd yr amser i chwerthin, a deud y gwir.

Yna, yn sydyn, dyma Iori'n neidio allan o'r fan a sibrwd.

"Iawn, awn ni rŵan 'ta, Alffi. Gwna'n union fel 'nest ti o'r blaen, iawn? Chdi'n gneud yr ochr chwith, a finna'r ochr dde, dallt? Dyma'r rhestr. A 'dan ni isio trio gneud hyn yn sydyn tro 'ma, ocê? Am… "

Gallwn bron iawn glywed brên Iori'n troi yn sydyn, a dwi'n siŵr fod ei lygaid yn gwibio o un ochr y stryd i'r llall y tu ôl i'w sbectol dywyll.

"Am… bo chdi 'di gneud ni'n hwyr, rhaid ni ddal i fyny efo'r amsar, iawn? Dallt, mêt?" medda Iori, a gwelais y fflach o ddant aur eto wrth iddo wenu'n ffals arna i.

"Iawn, Iori, chdi 'di'r bòs!" medda fi, ond do'n i ddim yn dallt, a deud y gwir. Yr unig beth ro'n i yn ei ddallt oedd 'mod i ddim yn rhy hoff o'r Iori yma – yr Iori blin oedd ar bigau'r drain ac yn sbio dros ei ysgwydd bob eiliad.

Cymerais grât o boteli llefrith a dechra cerdded tuag at dai'r cwsmeriaid.

Aeth Iori yn ei flaen ar hyd ochr dde'r stryd. Ond yn lle cychwyn ym mhen y stryd a gweithio ei ffordd yn ôl i lawr, aeth Iori'n syth at ddrws du yng nghanol y rhes, a'r rhif 12 yn hongian yn igam-ogam ar y drws.

Od, meddyliais. Doedd 'na'm synnwyr mewn mynd at dŷ oedd ynghanol y stryd yn gynta. Ond dyna fo. Roedd Iori'n amlwg wedi codi ar yr ochr anghywir i'r gwely heddiw, ac wedi bod yn byhafio'n rhyfadd drwy'r bora.

Mynd ymlaen a gorffen fy ochr i o'r stryd oedd y peth gora i mi'i neud. Do'n i ddim yn y mŵd i holi gormod ar Iori heddiw, a beth bynnag, roedd gen i ddigon o betha i boeni amdanyn nhw fy hun, toedd, rhwng y Prifathro, Medi Clarke, y trip, a rŵan Gafin a'i flacmel!

Yn sydyn, clywais leisia fel tasan nhw'n siarad yn uchel, i ddechra, ac yna roedd sŵn gweiddi mawr, a sŵn rhwbath yn taro'n erbyn rhwbath caled.

Yna, distawrwydd. Dim siw na miw. Dim byd.

Edrychais ar hyd y stryd, a 'nghalon i'n curo fel drwm. Doedd 'na'm golwg o Iori yn unman. Roedd drws rhif 12, lle ro'n i wedi'i weld o ddwetha, wedi cau o hyd, fel tasa dim byd o'i le. Be wna i rŵan, meddyliais. Fedrwn i ddim galw "Iori?" fel hogyn bach Blwyddyn 7 isio sylw, na fedrwn, a deffro pawb yn y stryd. Fedrwn i ddim cnocio ar ddrws rhif 12 a gofyn oeddan nhw wedi gweld Iori, na fedrwn? Edrychais ar fy ffôn. Dim ond hanner awr wedi pump oedd hi. Fedrwn i'm ffonio neb amser yma o'r bora. Doedd neb ond Nain Bach a Gafin Gorila yn gwbod 'mod i ar y rownd beth bynnag, a do'n i ddim isio styrbio 'run o'r ddau, am resyma gwahanol.

Penderfynais mai'r peth gora i'w neud oedd gorffen

delifro'r llefrith i bawb yn fy ochr i o'r stryd a mynd yn ôl i'r fan i ddisgwyl am Iori. Ma'n eitha posib mai yno fydda Iori yn smocio ffag ac yn disgwyl amdana i a'i sbectol haul am ei drwyn. Ma'n eitha posib nad oedd gan y sŵn a'r gweiddi ddim byd o gwbwl i'w neud efo Iori, beth bynnag. Ond os felly, pam doedd 'na'm golwg ohono?

Gorffennais fynd â'r poteli llefrith o gwmpas yn reit handi, a mynd 'nôl at y fan i eistedd yn fy sêt. Roedd pob dim i'w weld 'run fath ag arfer. Caeais fy llygaid. Roedd hi'n ddistaw braf, a sŵn rhyw dderyn pell i ffwrdd yn canu nerth ei ben. Lyfli. Dechreuodd fy meddwl i grwydro. Ro'n i'n estyn am law Medi a hitha'n sbio arna i, a'i llygaid hi'n lyfli, y gwynt yn siffrwd ei gwallt melyn yn ysgafn. Plygais ymlaen a chyffwrdd ei gwallt a gafaelodd hitha yn fy llaw a'i chodi at ei gwefusa a'i chusanu'n ysgafn, a...

Waaaaa!

Rhwygwyd fi o 'mreuddwyd gan bâr cryfion o ddwylo. A'r funud nesa ro'n i'n cael fy llusgo gerfydd cefn fy siaced ar hyd y palmant a fy sgidia'n crafu'n gas yn erbyn y concrit calad. Gwelwn y byd yn rasio heibio wrth i mi gael fy nhynnu'n ôl ac yn ôl!

Wrth gael fy nhynnu, clywais sŵn y fan lefrith yn cychwyn ac yn dechra symud i ffwrdd! Blincin Iori! Yn mynd a 'ngadael i! Be ddiawl oedd yn mynd ymlaen?!

Yna trodd y person yn sydyn, a'm llusgo drwy giât

agored, gan daro fy mhenglin yn boenus ar ymyl metal y giât. A'r peth nesa, ro'n i'n cael fy llusgo yn ôl ac yn ôl, dros stepan drws, ac yna caeodd y drws yn fy wyneb, o'r tu fewn.

"Be sy'n… ? Pwy... ?"

Taflodd y person fi ar y carped, a rhoi cic gas yn fy mol, er mwyn cau fy ngheg.

Gorweddais yno, heb fedru deud gair beth bynnag, yn gwrando ar sŵn fy anadl yn llenwi fy nghlustiau ac yn teimlo gwlân cras y carped yn erbyn fy moch.

Ac yna clywais lais cyfarwydd Iori. Ro'n i'n gallu nabod y llais, er ei fod yn swnio fel tasa arno fynta ofn drwy'i din ac allan.

"Gad iddo fo fynd! Sgin y boi ddim byd i neud efo hyn!"

Ac yna daeth y geiria i ben a daeth sŵn Iori'n griddfan yn ei le.

Caeais fy llygaid.

13
DIWEDD Y BYD?

Tasa chdi'n rhoi can punt i mi, fedrwn i ddim deud pa mor hir fues i'n gorwedd ar y carped coslyd drewllyd yna.

Chwarter awr ella? Hanner awr? Awr? Dwn i'm.

Gallwn glywed tipyn o sŵn siarad yn dod o ryw stafell yn rhywle, ond roedd y siarad yn rhy isel ac yn swnio'n rhy bell i mi fedru dallt gair roeddan nhw'n ei ddeud. Ro'n i'n siŵr 'mod i wedi nabod llais Iori eto hefyd, ond fedrwn i ddim bod yn rhy siŵr o hynny.

Roedd fy mhenglin lle tarais yn erbyn y giât yn gwingo, a 'mol i'n dendar. Ro'n i bron â marw isio mynd i'r lle chwech. Ro'n i bron â marw isio diod o ddŵr. Ro'n i bron â marw isio… mynd adra.

Yna agorodd y drws agosa ata i, ac roedd gola'n llenwi'r coridor lle ro'n i'n gorwedd.

"Symud o! At y llall!" medda rhyw lais dwfn a'r funud nesa ro'n i'n cael fy llusgo ar hyd y llawr i'r stafell arall. Teimlais rwbath yn syrthio allan o 'mhoced, a gwelais y fanana'n gorwedd yn ddiniwed i gyd ar y carped. Teimlais ryw hiraeth am adra wrth ei gweld. Gwirion, 'de! Banana, yn gneud i mi fod isio crio!

Ar ôl i ni gyrraedd y stafell arall, gwelwn mai rhyw foi mawr efo locsyn coch a thrwyn mawr tew oedd y boi oedd wedi fy symud. Sylwais ar y brychni haul ar ei freichia. Rhyfedd fel rwyt ti'n sylwi ar betha bach weithia, 'te?

Roedd yr olygfa oedd yn fy nisgwyl yn fan'no yn un wna i fyth ei anghofio tra bydda i byw. Dyna lle roedd Iori druan yn eistedd ar gadair a'i ddwylo wedi eu clymu y tu ôl i'w gefn. Ac roedd ganddo biwtar o lygad ddu yn tyfu fel blodyn ar draws ei lygad dde.

"Haia Alffi!" medda Iori, a rhyw drio gwenu mewn ffordd bathetig. Haia Alffi, wir! Be goblyn oedd yn digwydd? Pam oeddan ni yma? I be oeddan nhw'n ein cadw ni fel hyn? A be ddiawl oedd yn mynd i ddigwydd i'r ddau ohonan ni?

Ymhen eiliada, roedd y boi locsyn mawr coch wedi dod ata i ac yn dechra clymu fy nwylo inna hefyd efo'i gilydd.

"Be… be dach chi isio efo ni? Pam 'dan ni yma?" Daeth y geiria allan cyn i mi fedru sylweddoli 'mod i wedi eu deud nhw.

"Gofyn i dy fêt yn fan'cw!" medda'r boi barfog, a rhyw chydig o acen ddiarth ganddo fo. Doedd hwn yn bendant ddim yn dod o'r ffordd hyn.

"Ti'n ca'l rhei ifanc iawn yn y busnas rŵan, Ior?" medda'r barfog eto, ac roedd gen i ryw deimlad nad siarad am y busnas llefrith roedd o.

Aeth y barfog allan, a chloi drws y stafell ar ei ôl.

Edrychais i gyfeiriad Iori.

Gwenodd ynta yn ôl arna i, a rhoi winc fach wan. Roedd o'n edrych yn wahanol efo llygad ddu. Sylweddolais hefyd 'mod i'n ei weld o am y tro cynta heb ei sbectol haul. Roedd ganddo fo lygaid llai nag o'n i'n gofio, a'r rhychau fel ôl traed brain o'u hamgylch. Doedd yna ddim byd cŵl o gwbwl am Iori rŵan, yn eistedd efo llygad ddu a'i ddwylo wedi eu clymu.

"Be oedd o'n feddwl, Iori?"

"Be?"

"Ti'n gwbod am be dwi'n sôn! Pa fusnas oedd o'n sôn amdano fo?"

Edrychodd Iori ar y llawr, a symud ei hun yn boenus ar y sêt, fel tasa'i gorff o'n brifo i gyd.

"Awwww!"

"Dwi'm yn meddwl bo nhw 'di'n clymu ni a'n cau ni'n y stafell yma jest am eu bod nhw wedi anghofio talu bil llefrith, naddo, Ior?"

Ysgydwodd Iori ei ben, a dal i sbio ar y llawr.

"Oes arnan nhw bres i chdi? Oes arna chdi bres iddyn nhw? "

Nodiodd Iori ei ben. Iesgob, roedd isio mynadd efo fo. Roedd o'n fy atgoffa i o'r hen gi bach ti'n medru gael ar y silff yng nghefn car, a'i ben o'n nodio'n wirion wrth i'r car symud.

Yna, edrychodd Iori i fyny arna i. A'r funud honno dyma fi'n dallt pob dim.

"Drygs, 'de! Ti rwbath i neud efo cyffuria, dw't?" gofynnais.

Atebodd Iori mohona i. Ond doedd dim rhaid iddo fo. Roedd hi'n berffaith blincin amlwg be oedd yn digwydd! Roedd Iori'n defnyddio ei rownd lefrith er mwyn cael esgus i fynd o gwmpas y tai peth cynta'n bora yn gwerthu drygs! Ne'n foi yn y canol mewn tsiaen o bobol oedd yn ymwneud â chyffuriau. Roedd y fan lefrith yn berffaith! Pwy yn y byd fydda'n meddwl chwilio fan lefrith am unrhyw beth heblaw llefrith, sudd oren a iogwrt?! Ac roedd y strydoedd yn wag am bump o'r gloch y bora! Pwy fydda'n sylwi fod unrhyw beth o'i le?

A rŵan ro'n i wedi cael fy llusgo i mewn i'r helynt!

Erbyn hyn ro'n i isio toiled cymaint fel nad oedd ots gen i pwy oedd yn clywed.

"Help!" gwaeddais.

Gwelais Iori'n mynd yn welw wrth i mi godi fy llais eto.

"Help! Dwi isio mynd i toiled! Help!"

Ymhen eiliadau, roedd y barfog wedi dwad yn ôl.

"Be sy?"

"*Bog*! Rhaid fi fynd! Plis?" Doedd dim ots gen i os oeddwn i'n swnio fel taswn i'n pledio, ro'n i bron â byrstio!

Edrychodd y barfog ar Iori, ac wedyn arna i. Yna nodiodd, a'n llusgo fi i 'nhraed. Pwniodd fi i gyfeiriad y drws ac yna i'r chwith.

Roedd y stafell molchi a'r toiled o 'mlaen i, a cherddais i mewn. Roedd y sinc a'r bath yn frown budur. 'Sa Nain Bach wedi gwneud ei nyt! Dechreuodd y boi barfog gau'r drws ar fy ôl i, ond dangosais fy nwylo wedi eu rhwymo er mwyn iddo fo weld na fedrwn i neud dim heb ddefnydd fy nwylo!

Edrychodd arna i am eiliad, ond yna dyma fo'n datod y cwlwm.

Cyn cau'r drws eto, meddai,

"Fydda i tu allan. Dim mwnci busnas!"

Doedd hwn rioed wedi bod yn agos at *charm school*, meddyliais! Hynny roedd o'n ei ddeud, roedd o'n fwy o gyfarth nag o siarad. Sa fo'n dda i ddim mewn arholiad llafar mae'n rhaid i ni neud yn y gwersi Cymraeg. Yn sydyn, daeth rhyw hen deimlad rhyfedd drosta i wrth feddwl am yr ysgol, am Medi Clarke, a mwya'n byd am Caio a Sara.

Ac o weld y sinc budur, meddyliais eto am Nain Bach yn edrych ar ei wats amdana i yn dod yn ôl o'r rownd, a 'ngweld i'n hir yn cyrraedd. Mi fydda'n rhaid iddi ddeud wrth Dad os oedd hi'n mynd yn hir iawn arna i adra, ac amsar brecwast yn pasio. Ac wedyn mi fydda Dad yn dechra poeni ac mi fyddan nhw'n dechra chwilio'r stryd amdana i. Mi fydda'r ysgol yn ffonio i holi pam do'n i ddim wedi cyrraedd fan'no, ac mi fydda Dad yn cael gwbod am y *detention*, mi fydda… pob dim yn mynd yn rong.

Ond dwi'n siŵr fasa'r Prifathro na neb yn dychmygu 'mod i wedi cael fy nghadw'n wystl mewn tŷ yn llawn o ddelwyr cyffuriau! Ro'n i wedi ei gneud hi rŵan, toeddwn! Be tasa neb yn credu 'mod i'n hollol ddiniwed yn y mater? Be tasan nhw… Be tasan nhw byth yn dwad i wbod y gwir? Be tasan nhw'n ffeindio Iori Iog a fi yn sgerbydau yn y tŷ ymhen misoedd? Blynyddoedd, ella?

Eisteddais ar y *bog*, a do, mi wnes i grio. Sgin i'm cywilydd. Be 'sat ti 'di neud? Ma dynion go iawn yn crio, medda Dad, ac roedd y boi go iawn yma'n beichio crio y funud hon.

Ymhen chydig, teimlwn dipyn bach gwell – do'n i ddim yn gwbod pam chwaith. Golchais y dagrau i ffwrdd efo dŵr o'r tap.

Ac yna cefais frenwêf. Teimlais am y ffôn symudol yn fy mhoced. Oedd o wedi hedfan allan pan o'n i'n cael fy llusgo o'r fan? Na! Roedd o yma! Cnociodd rhywun ar y drws.

"Ti 'di gorffan yn fan'na? Brysia!"

"Bron yn barod! " medda fi.

Rhedais ddŵr y tap eto rhag ofn i'r barfog y tu allan glywed sŵn y botymau'n cael eu pwyso. A dyma fi'n dechra anfon neges i ffôn Nain Bach, a 'nwylo fi'n crynu cymaint fel 'mod i wedi gorfod ailneud:

12 Stryd y Bryn

Dyma bwyso'r botwm a'i yrru ar ei ffordd. Fatha Branwen yn gyrru'r drudwy bach dros y dŵr at Bendibethma, ei brawd mawr. Jest gobeithio fydda'r neges yn cael yr un effaith ar Nain Bach ag y gafodd ar y cawr mawr! Fydda hi'n dallt?

Roedd hi'n werth trio. Ro'n i'n lwcus iawn fod y barfog ddim 'di meddwl gneud yn siŵr oedd gen i ffôn. Diolch byth ei fod o dipyn yn dwp! Ond fedrwn i'm bod yn sicr na fydda hynny'n croesi ei feddwl o gwbwl. Diffoddais y ffôn a'i roi i guddio y tu ôl i'r peipia o dan y toiled. Fydda neb callach i chwilio yn fan'no. Ro'n i wedi gneud be oedd raid.

Ar yr eiliad honno, a finna newydd sefyll i fyny, dyma'r drws yn agor fel majic. Safai'r barfog yn rhythu i lawr arna i, a golwg arno fo fel tasa rhywun wedi sefyll ar ei droed.

"Be ti'n neud yn fan'na?"

"Jest be ma pawb yn neud yn *bog*, 'de!" medda fi, gan drio peidio swnio yn ormod o goc oen o'i flaen.

Gwnaeth rhyw sŵn yng nghefn ei wddw.

"Hmmmm!"

Yna estynnodd am fy nwylo a'u clymu eto.

14
Y SYNIAD DA

"Dwi fod yn cael *detention* rŵan!" medda fi wrth Iori, er mwyn torri ar y distawrwydd oedd rhyngddon ni, yn fwy na dim byd arall.

"Ti'n ca'l un eniwe!" medda Iori, a rhoi rhyw hanner gwên arna i.

Aeth y ddau ohonan ni'n ddistaw yn ôl.

"Am be, eniwe? Be 'nest ti?"

"Dim byd lot... Wel, chwara'n wirion, meddwl bo fi'n foi!" medda fi, fel taswn i'n siarad am ryw Alffi pell iawn yn ôl. A deud y gwir, ro'n i'n teimlo 'mod i wedi aeddfedu tipyn yn yr oria diwetha yma. Roedd chwara tric ar Wayne, a ffrae gan y Prif, a'r busnes efo Medi a'r trip, roedd hynny i gyd fel tasa fo wedi digwydd flynyddoedd yn ôl, i ryw Alffi arall.

"Sori, Alff," medda Iori, ac amneidio ei ben i 'nghyfeiriad i. Doedd o ddim yn sbio arna i chwaith, sylwais. Dim ond sbio ar ei draed.

"Sori, boi. Am hyn i gyd..."

"Drygs, Iori! Fflipin drygs! O'n i'n meddwl ella 'sa chdi'n ddigon call i..."

"Gwbod," medda Iori, gan godi ei ysgwyddau, ac

ysgwyd ei ben. "Stiwpid dwi! Meddwl swn i'n medru gneud rhyw geiniog ne ddwy drw'... amsar anodd, 'sdi, Alff. Amsar anodd..."

"Wel 'di o'm yn fflipin picnic yn ein teulu ni ar y funud, chwaith!" medda fi, a meddwl am Dad yn colli ei waith, am y twll yn fy nhreinars, am y plât bach o fwyd roedd Nain Bach wastad yn ei godi iddi hi ei hun, am fod 'na'm digon o fwyd.

"Nac'di, boi. Wn i, Alff. Sori!" medda Iori eto.

Dyna pam roedd Tony Bach wedi ffraeo efo Iori a gadael y rownd, ma'n siŵr, meddyliais. Roedd Tony'n ddigon call i beidio â chael ei dynnu i mewn i'r lobsgóws.

Edrychais ar Iori Iog a'i weld yn iawn am y tro cynta, rhywsut. Fel boi bach gwan oedd yn trio chwara'r boi mawr, ac ymhell dros ei wddw yn y stwff brown. Boi bach pathetig!

"Be rŵan, 'ta?" gofynnais.

Edrychais i lawr ar y crystia oedd ar y plât wrth fy ymyl. Roedd y barfog wedi dwad â brechdan gaws i ni'n dau. Dwi'm yn licio caws. Ma caws yn gneud i mi deimlo fel piwcio. Ond mi fwytais y frechdan gaws, rhag ofn ma honna fydda'r frechdan gaws ola i mi gael ei chynnig byth.

"'Mbo, Alff."

"Be 'nest ti'n rong, 'ta, Ior?"

"Ges i draffarth... ca'l y stwff."

"Oeddan nhw wedi talu yn barod?"

"Chydig. Dim i gyd. Dwad yma i egluro 'nesh i a wedyn… 'Di'r rhein ddim yn fois neis, Alff. Tydyn nhw ddim yn rhei da am wrando…"

O'n i wedi rhyw ddallt hynny'n barod! Ond ddwedais i ddim byd. Doedd y rhein ddim y math o fois oedd yn mynd i adael i linyn trôns fel Iori a rhyw hogyn ysgol bach fatha fi fynd allan i'r byd mawr i sbragio, nag oeddan? Erbyn hyn, roedd hi'n dechra dwad yn amlwg nad oedd Nain Bach wedi derbyn y tecst. Anaml iawn y bydda hi'n sbio ar ei ffôn, a deud y gwir. Pam 'nesh i ddim sgwennu 'HELP!', fel ei bod hi'n dallt bod 'na greisus! Teimlais rhyw oerni yn gafael yn dynn yndda i a'm hysgwyd. Roeddan ni'n sownd yn fan'ma, tan iddyn NHW benderfynu ar y ffordd orau i gael gwared arnan ni! Dyna'r gwir! Roeddan ni'n mynd i farw! Y cwestiwn oedd sut, a phryd!

Gwrandewais yn astud. Dim byd. Dim ond oria ola'n bywyda ni yn dripian fatha dŵr yn gollwng o dap ac yn diflannu i lawr y sinc. Am gyfnod, roedd sŵn rhywun yn symud o gwmpas yn y stafell uwch ein penna, ond roedd hynny wedi stopio ers tro. Roedd y petryal o awyr y gallwn ei weld drwy'r ffenest yn dechra tywyllu. Fe fydda lampau'r stryd yn dwad ymlaen yn fuan, a'r golau oren yn taflu rhyw hen wawr iasoer dros y stryd i gyd. Mi fydda pobol yn dechrau dwad adra o'u gwaith, plant yn sbio ar y teledu ne'n gneud eu gwaith cartref, teuluoedd yn dechra setlo o gwmpas y bwrdd bwyd i gael eu swper. Roedd bywyd yn mynd yn ei flaen fel arfer, a neb yn gwbod dim ein bod ni yma efo'n dwylo wedi'u clymu ac yn disgwyl fel dau oen bach am y cam nesa.

"Ti isio chwara I-Spy?" medda Iori.

Suddodd fy nghalon! Ond yna, digwyddodd rhwbath tu mewn i mi.

Sefais ar fy nhraed yn sydyn. Cerddais at y drws a gwyro fel 'mod i'n edrych drwy dwll y clo. Gallwn weld y goriad wedi ei wthio tu mewn i dwll y clo o'r ochr arall.

Gwenais.

"Be haru chdi?" gofynnodd Iori.

"Pasia'r tamad papur yna sy ar y bwrdd, 'nei di?" medda fi.

Llwyddodd Iori i gael gafael arno, gyda thipyn o strach, gan fod ei ddwylo y tu ôl i'w gefn. Diolch byth mai yn y tu blaen roedd y barfod wedi clymu 'nwylo i, meddyliais. Roedd hynny'n gneud petha fymryn yn haws.

"Sgin i'm beiro na dim byd, 'de, *so* be 'di'r pwynt ca'l papur?" gofynnodd Iori, mewn penbleth.

"Dwi'm angan beiro!" medda fi.

Cymerais y papur a mynd yn ôl at y drws. Yna dyma fi'n mynd ar fy mol ar y llawr. (Ddim yn beth hawdd i'w neud os ydy dy ddwylo wedi eu clymu!) Edrychais o dan y drws, a gwenu eto. Diolch byth. Roedd yna ddigon o fwlch rhwng y drws a'r carped. Roedd hynny'n allweddol! (Sori – jôc wael! Pam fod meddwl rhywun yn gallu meddwl am bethau digri hyd yn oed yn y sefyllfaoedd mwya anodd?)

Yn ara bach, dyma fi'n gwthio'r tamaid papur, bron iawn i gyd, o dan y drws. Roedd hi'n bwysig fod yna rhywfaint o'r papur yn dal ar ôl ar f'ochr i.

"Sgin ti rwbath tena i wthio drwy dwll y clo, Ior?" gofynnais, gan edrych o gwmpas y stafell.

"Rhwbath tena…?" medda Ior fel adlais.

"Rhyw weiran ne rwbath?"

Edrychodd Iori'n ddryslyd, ond yna dechreuodd wenu, a'i ddant aur yn sgleinio yn y stafell hanner tywyll. Ymbalfalodd ora fedra fo ym mhoced cefn ei jîns am be oedd yn teimlo fel oes pys. Ro'n i'n dechra difaru gofyn! Ac yna, dyma fo'n tynnu clip papur allan. Pasiodd hwnnw i mi wysg ei gefn, fel tasa fo'n trosglwyddo trysor.

Es ati i sythu'r clip papur yn un stribed hir. Yna, es i 'nôl at y drws a dechra ei wthio'n ofalus drwy dwll y clo. Gwthio, gwthio, yn ofalus, ac yna… clywais sŵn y goriad yn syrthio ac yn glanio ar y tamaid papur ar yr ochr draw. Perffaith! Roedd rhan gynta'r cynllun wedi gweithio, beth bynnag.

Y cam nesa oedd ceisio tynnu'r papur yn ôl i'n ochr i o'r drws, a gneud hynny'n ofalus, ofalus rhag ofn i'r goriad gael ei wthio oddi ar y darn papur. Tasa'r goriad yn mynd oddi ar y papur, dyna hi wedyn, mi fydda hi wedi canu arnan ni.

Yna, gan anadlu'n araf i dawelu'r nerfa, dechreuais dynnu'r papur yn ôl o dan y drws. Daeth yn hawdd i ddechra, wrth gwrs. Ac wedyn, daeth y darn pwysig, tyngedfennol. Os oedd y goriad yn fwy nag o'n i'n feddwl, yna mi fydda'n mynd yn sownd o dan y drws ac yn gwrthod dod trwodd. Os felly, mi fydda'r cynllun ar ben. Ond os oedd y goriad yn ddigon bychan i basio o dan y drws…

Tynnais anadl, ac yna dechra tynnu gweddill y papur yn araf, araf. Mae'n rhaid fod Iori wedi sylweddoli bod hyn yn foment bwysig hefyd, achos ddwedodd ynta ddim gair chwaith.

Araf, araf…

Gallwn weld y goriad yn agosáu at y bwlch rhwng y drws a'r carped. Edrychai'n anferthol i fy llygaid i wrth i mi orwedd ar fy mol yn edrych arno. O, na! Doedd hyn byth yn mynd i weithio!

Ond yna… llithrodd y goriad yn berffaith o dan y drws. Syllais arno am funud, yn gorwedd ar y carped. Edrychais yn ôl ar Iori, ac yna gwenodd y ddau ohonan ni ar ein gilydd.

"Ti'n jiniys! Ti'n fflipin…" dechreuodd Iori.

"Sssh!" medda fi, ac amneidio ar Iori i ddwad i sefyll wrth fy ymyl.

Tynnais y weiran clip papur yn ôl o dwll y clo yn ofalus. Yna gafaelais yn y goriad, a'i wthio i mewn i'r twll, troi, gafael yn handlan y drws a throi honno hefyd, yn araf, araf, heb 'run smic. Agorodd y drws yn braf. Dan amgylchiada gwahanol, byddwn wedi gweiddi "Taraaaaa!" ar dop fy llais.

Edrychais yn ôl ar Iori. Rhoddodd hwnnw winc arna i. Aeth y ddau ohonan ni drwadd i'r cyntedd bach ro'n i wedi glanio ynddo pan gyrhaeddais i. Aeth Iori'n syth am y drws ffrynt. Ro'n i wedi sylwi, wrth orwedd ar y llawr yn gynharach, fod hwnnw'n cau ar lats. Wrth lwc, felly, doedd hi'n ddim problem o gwbwl i ni ei agor.

Ond cyn mynd am y drws ffrynt, gafaelais ym mraich Iori i'w ddal yn ôl. Roedd un peth arall roedd yn rhaid i mi neud, rhwbath fydda'n prynu rhywfaint o amser i ni tasa raid. Caeais ddrws y lolfa'n ddistaw, ddistaw, a rhoi'r goriad yn ôl yn nhwll y clo fel o'r blaen. Fydda neb ddim callach, felly, fod Ior a finna ddim yn dal i fod yn y stafell yn sbio ar ein gilydd.

Er fod fy nwylo wedi eu clymu o hyd, llwyddais i agor y drws ffrynt yn ddistaw, ddistaw a'i gau yn ofalus, ofalus ar ein hola. A dyna lle roeddan ni, fi a Iori ar stepan drws ein carchar, ac yn RHYDD! Dwi'n gwbod rŵan fod rhyddid yn rhwbath doedd Iori ddim yn mynd i'w brofi yn hir iawn. Ond yn sefyll yn fan'no ar y stepan drws, roeddan ni'n teimlo'n grêt.

"Well i ni fynd 'ta?" medda fi.

A dechreuodd y ddau ohonan ni redeg, fel na redon ni rioed o'r blaen!

15
ALFFI JONES – SEREN!

(Mis yn ddiweddarach)

"Un bach eto, ia? Un bach arall yn sbio ar eich gilydd y tro 'ma. Rho'r *beret* chydig bach ar ongl. 'Na fo. A dalia'r siec dipyn bach uwch, Alffi... fel'na... Grêt!"

Clic clic clic eto.

O'n i'n dechra dallt sut roedd selébs yn teimlo. Yli, paid â cham-ddallt rŵan. Dwi'm yn cwyno. A deud y gwir, dwi wrth fy modd 'mod i'n cael cymaint o sylw. A dwi'n amlwg wrth fy modd 'mod i 'di cael siec am fil o bunnau am roi gwybodaeth i'r heddlu am be oedd wedi digwydd. Roeddan nhw wedi bod ar ôl y giang ers misoedd, ac yn methu'n lân â chael unrhyw sniff o sut a lle roeddan nhw'n gweithio.

Cael fy llongyfarch 'nes i yn y gwasanaeth bora wedyn yn lle cael ffrae, a'r Prifathro'n ysgwyd llaw efo fi fel tasa ni'n hen ffrindia!

Ac roedd trip Paris yn bendant i mi, erbyn hyn, hefyd, rŵan fod gen i'r cash. A 'mod i mond chydig bach is na'r angylion yn llygaid pawb o'r athrawon!

Dyna pam roedd y Prifathro wedi cael y syniad o 'nghael i wisgo *beret* yn y llun y tu allan i'r ysgol. Doedd y boi ddim yn colli cyfle i frolio'r ysgol!

Ond, *hold on*, Alffi bach, glywa i chdi'n gweiddi. Ti'n mynd yn rhy sydyn, mêt! Dal dy ddŵr! Weindia'n ôl!

Iawn. Mi a' i â chdi'n ôl i'r foment pan ddechreuodd Iori a fi redeg nerth ein traed i lawr y stryd ac mor bell ag y medren ni oddi wrth 12 Stryd y Bryn.

Roedd y ddau ohonan ni wedi trio gneud getawê mor ddistaw ag y medren ni, rhag ofn i'r barfog sylweddoli ein bod ni wedi mynd a dechra rhedeg ar ein hola.

Ond y munud roeddan ni allan, mi ddiflannodd unrhyw gynllunia felly, do? A rhedeg fel tasan ni'n Usain Bolt yn y 100 metr! (Heblaw 'mod i'n mynd chydig yn gynt na fasa Usain, wrth reswm, 'de! Ha ha!)

Wrth ei heglu hi i lawr y stryd, gan beidio poeni pwy oedd yn ein gweld ni, ro'n i'n falch iawn o'r pigau ar dop fy ngwallt achos mi fasa hen wallt hir gwirion fatha Wayne 'di bod yn bali niwsans, a bod yn onest, yn mynd i'n llygaid wrth i mi redeg. "*Go faster spikes*" oedd y rhein!

Beth bynnag, ar ôl i ni fynd rownd y gornel, be ddaeth i'n hwynebu ond Mini bach lliw gwyrdd a rhwd. Car Dad! A dyna lle roedd Nain Bach yn eistedd yn y ffrynt drws nesa i Dad, a Gafin Gorila wedi ei wasgu i'r sêt gefn.

Arafodd y Mini bach ar ôl ein gweld, a rhedodd Iori a finna at y ffenest. Agorodd Nain Bach y drws ac yna'n sydyn ro'n i yn ei breichia, yn cael yr hyg ora ges i rioed! A doedd dim ots gen i am fod â chywilydd! Ro'n i mor falch o'i gweld hi a phawb arall.

Daeth Dad allan o'r car hefyd, a sylwais ei fod o heb ei gôt er ei bod hi'n gythgam o oer erbyn hyn. Ma'n rhaid ei fod o wedi neidio i'r car ar frys i chwilio amdana i heb feddwl am ei gôt.

Ddaeth Gaf ddim allan o'r car, ond mi agorodd y ffenest a rhoi ei ben allan.

"Ti'n iawn?" gofynnodd mewn llais isel, swta, efo cymaint o anwyldeb â 'sa chdi'n medru ei gael mewn llais isel swta.

"Yndw. Dwi'n iawn. Neith dim un ohona chi goelio..."

A dyna pryd daeth car yr heddlu yn un sgrech i lawr y stryd, a'r gola glas yn fflachio fel peth gwirion ar dop y car. A dyna pryd y penderfynodd Iori Iog ei heglu hi i lawr y stryd i'r cyfeiriad arall, ei goesa a'i freichia yn chwifio'n wyllt wrth iddo geisio'i ora glas i ddiflannu i'r nos.

"Yr euog a ffy..." medda Nain Bach, a gafael ynof i eto, a'm gwasgu ati.

"Ti'n dallt rŵan pam dwi'm yn licio Iori?"

gofynnodd Dad. "Doedd gen i'm syniad bo chdi..."

"Sori!" medda fi, a gwbod bod gen i dipyn o waith esbonio i'w neud. Ond, am y tro, ro'n i allan o grafangau'r barfog a'i fêts, ac roedd hynny'n ddigon.

A dyna ni, fwy ne lai. Yn lle mynd adra a chael llond bol o Spag Bol ne rwbath sbesial fydda Nain yn un dda am neud, i orsaf yr heddlu aethon ni i gyd.

Bues yn hir iawn yn siarad efo dau heddwas am be oedd wedi digwydd. Roedd y ddau'n ddigon annifyr efo fi i ddechra. Dwi'n meddwl eu bod nhw'n amau fod gen i rwbath i neud efo be oedd wedi mynd ymlaen, 'mod i'n gweithio efo Iori yn gneud mwy na rownd lefrith. Ond o'r diwedd, ma raid eu bod nhw wedi coelio be o'n i'n ddeud, oherwydd cefais fy ngollwng yn rhydd.

Ma'n gas gen i bobol sy'n cario clecs, fel arfer. Ond weithia ma ambell beth sy'n bwysicach na'r awydd i gadw cefn. Doedd dim raid i mi sbragio ar Iori beth bynnag, fel roedd hi'n digwydd, gan fod y cops yn cadw llygad arna fo ers tipyn, meddan nhw. Ond dwi'n meddwl y baswn i wedi gorfod deud be welish i. Iori oedd yn stiwpid i feddwl y basa fo'n medru mynd i mewn i'r byd peryg hwnnw heb gael ei ddal. Arno fo oedd y bai am dynnu ei hun i mewn i'r helynt yn y lle cynta. Dyna dwi'n feddwl, eniwe. Ac ella'i fod o 'di dysgu ei wers o hyn allan.

Dwi'm 'di gweld Iori wedyn. Mae'r achos llys ymhen

dau fis, medda'r heddlu. Bydd yn rhaid i mi fod yno fel tyst, yn deud be welish i. Fydd o, a'r barfog, a'r gweddill oedd yn y gêm yn wynebu blynyddoedd o garchar am ddelio mewn cocên a chanabis. Gan mai dyma'r tro cynta i Iori neud y fath beth, ma'n bosib y bydd y llys yn rhoi llai o ddedfryd iddo fo. Ond mae o'n dal mewn trwbwl dros ei ben a'i glustia.

Ac mi sylweddolais un peth: nid pobol y cysgodion sy'n cuddio o olwg y byd ydy'r rhei sy'n gwthio cyffuriau, fel ti'n gweld mewn ffilmiau ne ar y teledu. Pobol sy'n byw yn ein canol ni ydyn nhw. Gallan nhw fod yn bobol ti'n chwara ffwti efo nhw ar bnawn Sadwrn, yn rhywun sy'n deud jôcs gwael ac yn chwara I-Spy, ac yn licio meddwl eu bod nhw'n cŵl mewn sbectol haul...

Pobol fatha Iori.

*

"Un llun eto, plis. Y teulu efo'i gilydd, ia?" gofynnodd y ffotograffydd, oedd yn dechra mynd ar nerfa pawb erbyn hyn.

Edrychais ar Gafin wrth weld Nain Bach yn gafael yn ei fraich a'i lusgo i fod yn rhan o'r llun. Dyna wyneb fasa wedi suro llefrith!

Daliodd Dad a fi lygaid ein gilydd, a rhoddodd Dad winc arna i.

"Pawb yn hapus? Pawb yn gwenu?"

"Ga i chdi'n ôl am hyn, Alfred!" mwmianodd Gaf Gorila dan ei wynt. Doedd rhei petha byth yn newid! Doedd Gorila ddim wedi gorfod gwenu cymaint ers blynyddoedd!

"Ga i'n mêt i mewn yn y llun hefyd?" gofynnais, gan ychwanegu, "A... 'ngharaid i?"

Gwenodd y ffotograffydd, a gneud llygaid ar Dad a Nain Bach. Gwenodd y ddau yn ôl.

Camodd Caio a Sara Jên ymlaen. Caio y mêt, a Sara yn fêt ac yn gariad erbyn hyn. Be, sonish i ddim?

Wel, doedd Medi Clarke ddim gwerth ei halen. Doedd hi ddim yn angel gorjys o gwbwl. Roedd hi wedi bod yn fflyrtio efo pump o hogia eraill, a dêtio dau foi! Ac i neud petha'n waeth, Elfyn Evans, y crafwr bach cyfoethog, oedd un ohonyn nhw! Toedd hi'm yn fy haeddu i, nag oedd?

Fi a Sara Jên? Wel... weithia, ma rhwbath fel cael dy gadw'n wystl yn gneud i chdi sylweddoli beth, a phwy, sy'n bwysig go iawn yn dy fywyd di. Ti'm yn meddwl?

Tynnodd y boi ei lun. Gwenodd Sara'n ddel arna i.

"Prowd ohona chdi, Alffi Jones!" medda hi, a sylwais pa mor las oedd ei llygaid hi, pa mor blwmin gorjys...

Aeth ymlaen at y lleill wrth lwc, cyn i mi gael cyfle i ddeud dim byd rhy sopi!

Un llun arall oedd ar ôl, ac ro'n i wedi bod yn edrych mlaen at gael tynnu llun efo Dad a fi o flaen y fan lefrith newydd.

Be? Sonish i ddim am hynny chwaith? Sori! Ond dwi 'di bod yn brysur, do? Dwi'n siŵr bo chdi'n dallt!

Iawn, dyma'r sefyllfa yn sydyn iawn: roedd rownd lefrith a neb i'w gneud hi ar ôl i Iori gael ei gymryd i'r clinc, doedd? Rŵan, pwy fedri di feddwl amdano oedd yn chwilio am waith?

Yn union!

Felly rŵan, dwi wedi cadw fy rownd lefrith, ac wedi cael bòs newydd yn y fargen – Dad!

Tydi bywyd yn troi allan yn fflipin grêt weithia!

"Pawb yn hapus?" gofynnodd y ffotograffydd eto yn glên.

Yndw, medda fi wrtha fi fy hun. Yndw, mi ydw i!

A rhoddais yr "Alffi-wên" ora fedrwn i i'r camera.

CLIC

Rhai o nofelau eraill Cyfres Pen Dafad

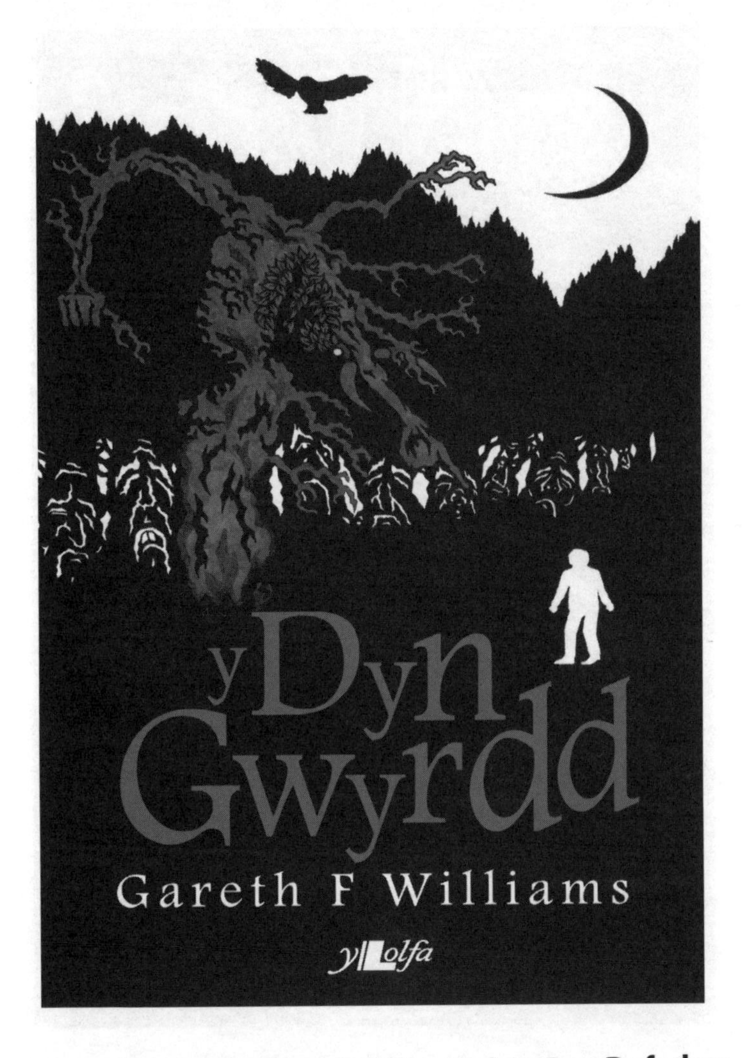

Rhyfel Cartref
Gwenno Hughes
pen
dafad
y Lolfa

pen dafad
WEL, GYMRU FACH!
Iaith Caernarfon,
y Tymbl, Llan-hir –
iaith Cymru gyfan.
Yr un iaith ydi hi.
LLEUCU ROBERTS
y Lolfa

pen
dafad
PenDafad
Bethan Gwanas
y Lolfa